Der Weser-Radweg – die schönste Reise vom Weserbergland bis zur Nordsee

Der Weser-Radweg – Spitzenradweg in Deutschland! Sie genießen eine abwechslungsreiche Flusslandschaft, gestalten Ihre Freizeit aktiv und gesundheitsbewusst, und es macht obendrein noch sehr viel Spaß und Freude – Sie werden begeistert sein!

Per Pedale entlang der Weser von Hann. Münden bis zur Mündung in Bremerhaven – was erwartet Sie auf Ihrer über 500 Kilometer langen Reise auf einem der attraktivsten und besten Radwanderwege in Deutschland?

Abseits von Hauptverkehrsstraßen und auf gut befahrbaren Strecken erschließt sich der Radlerin und dem Radler eine vielfältige Flusslandschaft mit Burgen und Schlössern, Märchen- und Sagengestalten. Das Erlebnisspektrum reicht von der Romantik der Weserrenaissance im Wesertal bis zum aufregenden Erlebnis, den größten Seeschiffen der Weltmeere in Bremerhaven zu begegnen. Die gute Infrastruktur des Weser-Radweges sowie eine Vielzahl an Hotels und Pensionen, die sich speziell auf die Radtouristen eingestellt haben, machen die Reise entlang der Weser zu einem einmaligen Erlebnis. Freuen Sie sich auf eine der abwechslungsreichsten und kulturell interessantesten Flusslandschaften in Europa!

Vielfältige Landschaft

Der Weser-Radweg ist an landschaftlicher Vielfalt kaum zu übertreffen. In Hann. Münden beginnend führt Sie der Weg meistens unmittelbar entlang der Weser durch das Weserbergland mit seinen sanften Hügeln bis nach Minden. Die Geschichte der Weser-Schifffahrt und des Handels spiegelt sich dabei in den vom Baustil der Weserrenaissance beeinflussten Fachwerkstädten wider, die sich wie an einer Perlenkette auf dem Weg in Richtung Norden aneinander reihen. An der Porta Westfalica bei Minden geht es gemeinsam mit der Weser in die Norddeutsche Tiefebene hinein. Von nun an führt Ihre Fahrt durchs Flachland, durch Geest und Marsch, und kann aus

Inhaltsverzeichnis

Vorwort 1
Routen- und Blattübersicht 4
Zeichenerklärung 6
Kartenteil 8
(mit Informationsadressen und Sehenswürdigkeiten)
Tourguide 52
(mit Informationen zu Orten und besonderen Tipps)

www.weser-radweg.de – Der Weser-Radweg im Internet

Aktuelle Informationen über den Weser-Radweg, die Orte und touristischen Highlights sowie die Übernachtungsangebote erhalten Sie auch im Internet unter **www.weser-radweg.de** Unternehmen Sie eine virtuelle Reise an die Weser!

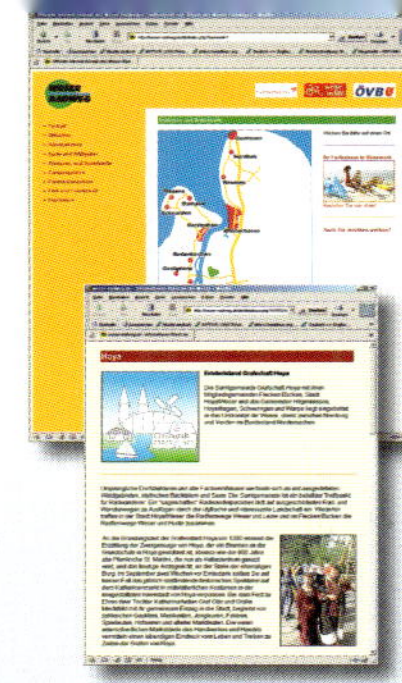

Wegweiser am Weser-Radweg

Hinweisschilder zum Weser-Radweg begleiten die Radlerinnen und Radler in allen Abschnitten des Weges. Der Weg ist sowohl in Süd-Nord als auch in Nord-Süd-Richtung ausgeschildert. Wer sich einmal verfährt, hat dennoch kein Problem: orientieren Sie sich zur Weser und Sie werden den „richtigen" Weg finden.

Wieviel Zeit sollten Sie sich nehmen?

Die ganz schnellen Radler (ca. 80 bis 120 km pro Tag) sind nicht nur nach 4 bis 5 Tagen am Ende des Weser-Radweges, sondern auch schnell an den landschaftlichen Schönheiten und kulturellen Highlights vorbei. Wer die Weser-Region wirklich „erfahren" will, sollte sich auf 50 bis 60 km Strecke pro Tag beschränken.

Was Sie wissen sollten ...

Die Strecke ist mit jedem normalen Fahrrad - am besten natürlich mit einem guten Tourenrad - und auch von weniger geübten Radlern zu befahren. Nicht immer ist es möglich, auf abgetrennten Wegen zu fahren. Streckenabschnitte mit unserer Ansicht nach höherem Gefährdungspotential, wie z.B. Wegeführung auf öffentlicher Straße oder schlechte Qualität der Fahrdecke, sind durch entsprechende Signatur in der Karte zum Weser-Radweg gekennzeichnet. Ist ein Streckenabschnitt nicht mit einem erhöhten Gefährdungspotential ausgewiesen, so bedeutet dies nicht automatisch, dass es sich hierbei um einen Streckenverlauf

mit getrennter Wegeführung handelt. In einigen Abschnitten des Weser-Radweges stehen „alternative Wegeführungen" zur Verfügung, deren radtouristische Attraktivität oder Wegequalität vergleichbar sind mit den „Hauptstrecken" des Weges.

Der Weser-Radweg hat nur wenige Steigungen, die in der Karte eingezeichnet sind. Meistens verläuft der Weg auf Flussniveau. Die Wegeoberfläche besteht überwiegend aus Asphaltdecke sowie gelegentlich wassergebundene Decke oder Betonplatten. Vereinzelt müssen auch kurze Strecken mit Kopfsteinpflaster/Schotter genutzt werden.

Eine Gewähr und Haftung für den Streckenverlauf, die Befahrbarkeit sowie die Qualität und Sicherheit des Weges als auch für die weiteren, in der Karte enthaltenen Informationen wird nicht übernommen. Änderungen und Irrtum bleiben vorbehalten.

Routen- und Blattübersicht

7	Kartenblatt
Weser-Radweg	
44	Autobahn
	Bundesstraße
	Eisenbahn
	Fluss
⊙ ⊙	Städte

Entfernungen:

Hann. Münden-Höxter ....69 km
Höxter-Hameln ....67 km
Hameln-Minden ....68 km
Minden-Nienburg ....61 km
Nienburg-Bremen ....102 km

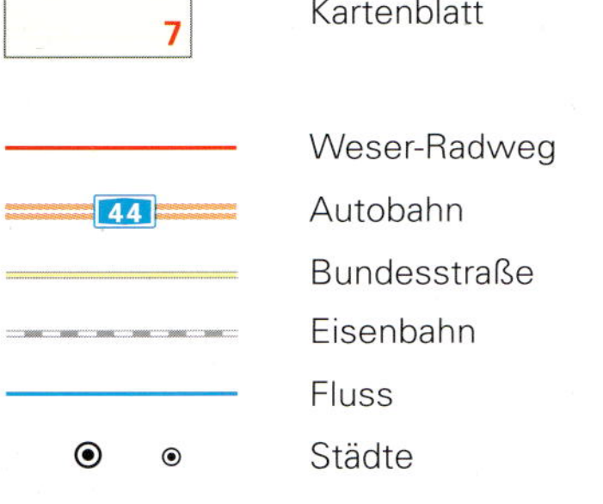

Bremen-Bremerhaven ....78 km
Nordenham-Eckwarderhörne............40 km
Bremerhaven-Cuxhaven ....51 km

1. Auflage 2010
© by BVA - Bielefelder Verlag,
Ravensberger Straße 10f, 33602 Bielefeld

Herausgeber:
BVA - Bielefelder Verlag GmbH & Co. KG,
Bielefeld, und WeserKontor GmbH, Bremen

Texte und Streckenverlauf Weser-Radweg:
© by WeserKontor GmbH, Bremen

Textlayout: plain designs, Bremen

Titelfoto:
Weser bei Hann. Münden, Fritz Mader, Hamburg

Fotos:
WeserKontor GmbH mit freundlicher Unterstützung und Genehmigung der aufgeführten Kommunen bzw. touristischen Kontakt-
stellen am Weser-Radweg; Schnecke-Foto, Barrien.

Umschlagrückseite:
Hal över, Bremen; Kurverwaltung Land Wursten, Dorum; Tourist-Info
Hessisch Oldendorf; Kur- und Touristikinformation Bad Karlshafen

Nachdruck, auch auszugsweise, oder sonstige Vervielfältigung
nur mit ausdrücklicher Genehmigung der Herausgeber.

ISBN 978-3-87073-477-0

Radwegenetz

Weser-Radweg

Alternative Wegeführung

20 Kilometrierung in 5-km-Intervallen

R 15 Überregionale Radwanderwege

Streckenabschnitt mit besonderem Gefährdungspotential, z.B. Wegeführung auf öffentlichen Straßen

10 Hinweis auf das Anschlussblatt

Markierung der Anschlusskarte

Verkehrsnetz

27 Autobahn mit Anschlussstelle

61 Bundesstraße

Hauptstraße, Nebenstraße

Sonstige Straße, Feldweg

Bf Bahnlinie mit Bahnhof

Information und Rast

Information

Fähre

Schiffsanlegestelle

Jugendherberge

Campingplatz, Zeltplatz

Schutzhütte

Unterstand

Rastplatz

Freizeit, Spiel und Sport

Freibad

Hallenbad

Bademöglichkeit

Bootsverleih

Grillplatz

Sehenswürdigkeiten

Kirche, Kloster/sehenswert

Schloss/sehenswert

Ruine Kirche, Kloster/sehenswert

Ruine Schloss/sehenswert

Bauten der Weserrenaissance

Museum

Besondere Sehenswürdigkeit

ND KD Naturdenkmal/Kulturdenkmal

Aussichtspunkt

Topographische Einzelzeichen (in Auswahl)

Denkmal/sehenswert

Wassermühle/sehenswert

Windmühle/sehenswert

Windrad

Bergwerk in/außer Betrieb/ sehenswert

Gewässer

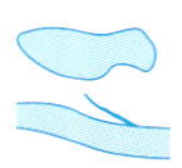

Binnensee
Strom

Schleuse
Wehr

Flächen

Bebauung
Industriegebiet

Wald

Relief

200 Höhenlinien in 50 m-Abständen

Sandberg 382 Berg mit Höhenangabe
• 183 Höhenpunkt
\> Steigung, Gefälle
\> Steigung, Gefälle stark

Maßstab 1: 75 000

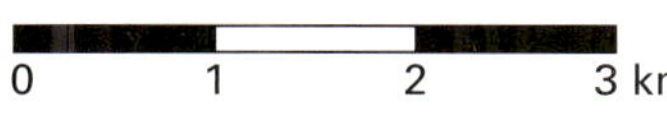

0   1   2   3 km

1 cm in der Karte ≙ 750 m in der Natur
1 km in der Natur ≙ 1,33 cm in der Karte

Liege- oder Spielwiese
Minigolfanlage
Spielplatz
Wildpark/Zoo

Turm/sehenswert, funktechnische Anlage
Höhle, Brücke
Stadion, Friedhof
Flughafen, Flugplatz

BVA-Kompakt-Spiralo
Kompakt, kreativ, kompetent

Optimale Handlichkeit „on tour", dazu alle Infos für die Radreise

„Ziel-sicher" ankommen: doppelseitige Karten durchgängig genordet (Norden=oben, Süden=unten), mit ausgewählten Straßennamen.

Was gibt's zu sehen: Die Sehenswürdigkeiten im Kartenteil entlang der Route auf einen Blick, knapp und „auf den Punkt" beschrieben.

Detaillierte Tourplanung: leicht gemacht durch Kilometrierung der Route.

Reiselust ohne Kartenfrust: ganz einfache Standortbestimmung beim Kartenwechsel durch Verweispfeile und Markierungen der Anschlusskarten.

Tourguide: ein separater, ausführlicher Bild- und Textteil liefert Informationen zum „Sightseeing on tour" für die optimale Vor-/Nachbereitung.

Daheim und unterwegs: praktisches Querformat mit Spiralbindung und Buchrücken – ideal für's Bücherregal und für die Lenkertasche.

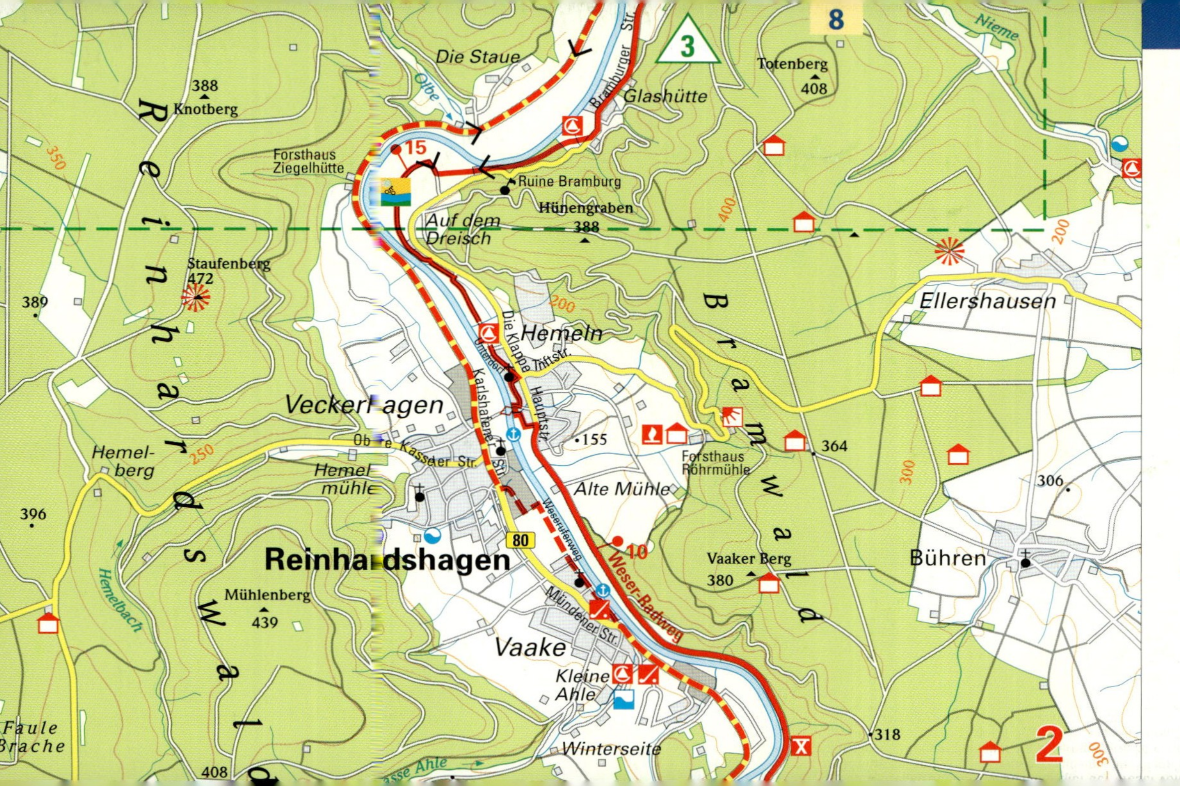

Reinhardshagen

Sehenswürdigkeiten

- Frühgotische Wehrkirche im OT Vaake
- ehem. landgräfl. Eisenhütte (1666)
- ehem. landgräfl. Barockschloss
- Gierseil-Fähre Veckerhagen

Information

Touristik Naturpark Münden e.V.

Rathaus, 34346 Hann. Münden

Tel. 05541-75313 bis -315, Fax 05541-75404

info@hann.muenden-tourismus.de

www.hann.muenden-tourismus.de

Hann. Münden
Sehenswürdigkeiten
Mittelalterliches Stadtbild mit 700 Fachwerkhäusern
Weserrenaissance-Rathaus
Glockenspiel im Rathausgiebel
Welfenschloss mit Städt. Museum
Doktor Eisenbart-Sprechstunde
Schifffahrten auf drei Flüssen
Fährenpfortenturm mit Aussichtsplattform
Information
Touristik Naturpark Münden e.V.
Rathaus, 34346 Hann. Münden
Tel. 05541-75313 bis –315,
Fax 05541-75404
info@hann.muenden-tourismus.de
www.hann.muenden-tourismus.de
Weitere Informationen auf Seite 53
Die Alternativstrecke auf dem westlichen Ufer der Weser von Hann. Münden bis Gieselwerder (km 27) ist qualitativ mit der Wegeführung auf dem östlichen Ufer vergleichbar. Die Alternativstrecke verläuft zum Teil höhengleich unmittelbar neben der Bundesstraße B80, jedoch durch Leitplanken abgetrennt.
Junkernkopf
451
Steinkopf
353
Weser
Kieswerk
Hilwartshausen
Eichhof
5
200
Schedetal
Mielen-hausen
RFW 5 Schede
Weser-Harz-Heide
Scheden
Niedr...
Ober...
Steinberg
334
431
Gahrenberg
472
Berliner Str.
Volkmarshäuser Str.
Volkmarshausen
Im Sacke
Meensen
R1
380
490
Gimte
Göttinger Str.
Gimter Str.
Blümer Berg
320
353
Staufenberg
343
Brackenberg
461
Forsthaus Brackenberg
Hann. Münden
.302
Wiers-hausen
Holzhausen
Mühlbach
Elsterbach
Rattbach
300
Weser
Weser brücke
Weser Liedanlage
Steinweg
Rosentalweg
Hermannshagen
200
Lippoldshausen
341
Lindenhof
Osterberg
NSG
Altmünden
Weserstein
334
Staufenküppel
Tillyschanze
Werra
Werraweg
274
Ilkstal
391
Osterberg
Eichbühl
Wilhelmshausen
Ischenberg
272
Neumünden
Wilhelmshäuser Str.
Kasseler Str.
Bf
Werrahof
80
Lippoldsburg
Letzter Heller
286
Am Stieg
Wildhaus
Ratwerder
Kattenbühl
200
Mündener Str.
Fulda-Radweg
134
Fulda
Werra-Radweg
AS Münden-Hedemünden
Knickhagen
Iserberg
Kl. Wemme
Bonaforth
496
7
E45
Römerlager Hedemünden
Hedemünden
Unter-mühle
3
Spiegel mühle
Gr. Wemme
237
407
Laubach
Grund-mühle
Wirtshaus Zelle
Werra
1
Rothwesten
Bf
9

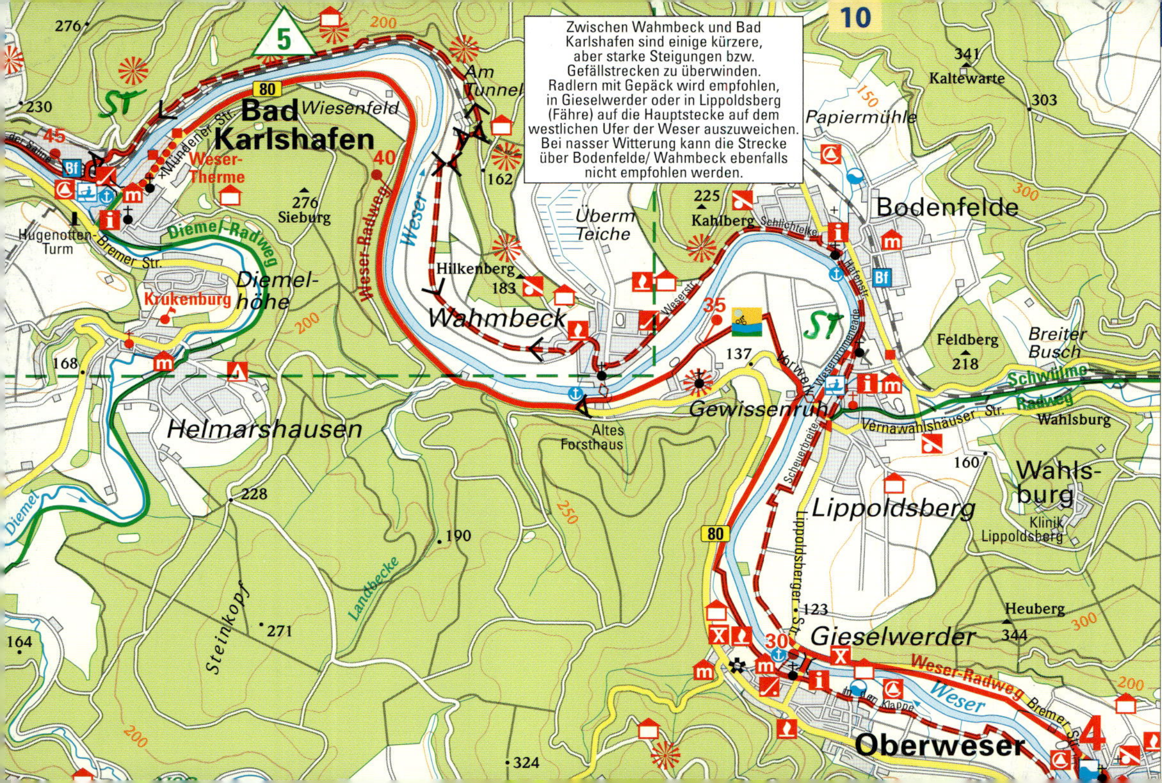

Wahlsburg-Lippoldsberg

Sehenswürdigkeiten

- Ehemalige Klosterkirche
- St. Georg und Maria (12. Jh.)
- Romanisches Museum in der Klosterpforte
- E.ON Live-Museum (Wasserkraftwerk)
- Museum im Schäferhaus

Information

Verkehrsamt der Gemeinde Wahlsburg

Am Mühlbach 15, 37194 Wahlsburg
Tel. 05572-937812, Fax 05572-937827,
gemeinde@wahlsburg.de
www.wahlsburg.de

Weitere Informationen auf Seite 55

Oberweser *(siehe Karten 3 + 4)*

Sehenswürdigkeiten

- Mühlenplatz Gieselwerder:
  historische Bauten in Miniatur
- Heimatstube Arenborn
- Schiffermuseum Gieselwerder
- Weberei-Museum Kircher Gieselwerder
- Waldensermuseum Gottstreu
- Dorfmuseum Oedelsheim
- Reste der Wasserburg Gieselwerder

Information

Tourist-Information Oberweser
Rathaus, 34399 Oberweser
Tel: 05572-93730 Fax 05572-937340
meldeamt@oberweser.de
www.oberweser

Weitere Informationen auf Seite 54

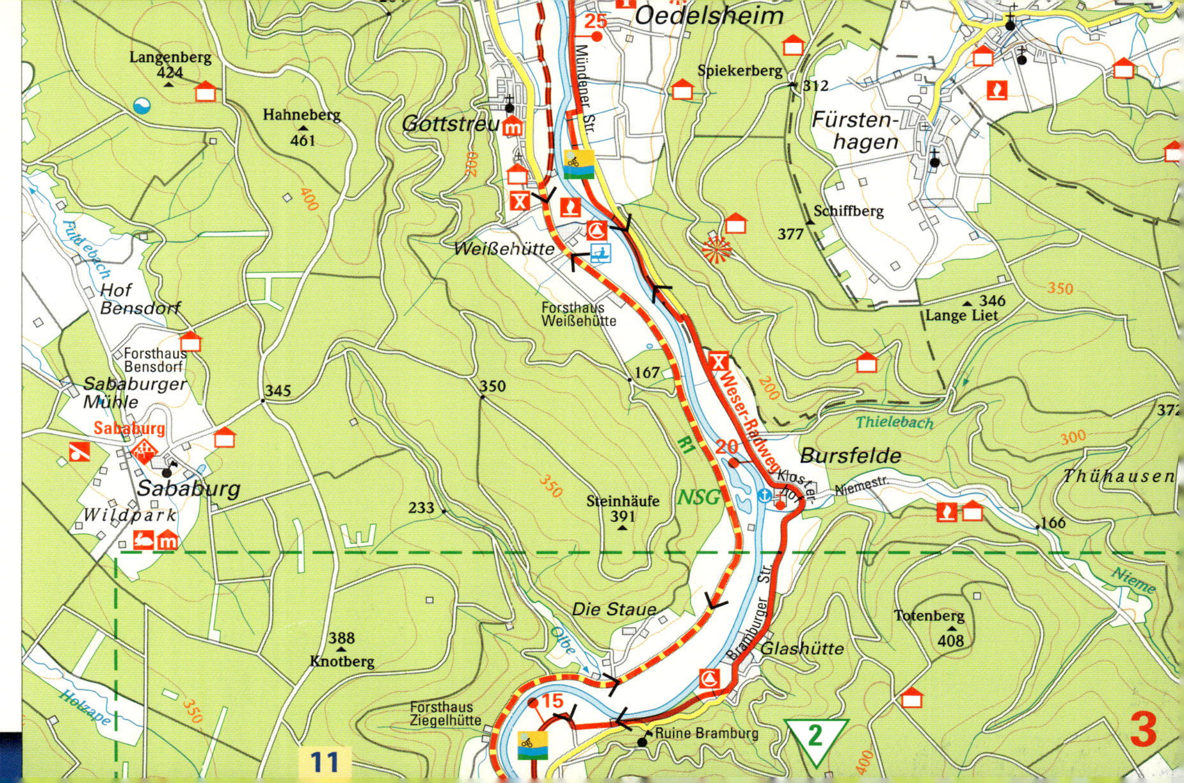

Fürstenberg

ⓘ Sehenswürdigkeiten

- Weserrenaissance-Schloss mit bedeutendem Porzellanmuseum und Besucherwerkstatt (Hauptsaison)
- Historische Schlossterrassen
- Mittelalterdorf Bokenrode
- Dampfer- und Kanuanleger

ⓘ Information

Tourist-Information Fürstenberg
Meinbrexener Str. 2,
37699 Fürstenberg
Tel. 05271-694717, Fax 05271-49274
gemeinde-fuerstenberg@
t-online.de
www.gemeinde-fuerstenberg.de

Weitere Informationen

Boffzen

ⓘ Sehenswürdigkeiten

- Glasmuseum
- Ölmühle Solling mit Mühlenladen und Mühlengarten
- Pfarrgarten mit Wilhelm-Raabe-Tisch
- Weserpromenade mit Rastplatz
- Dampfer- und Kanuanleger

ⓘ Information

über Tourist-Information Fürstenberg

Weitere Informationen auf Seite 57

Bad Karlshafen

Sehenswürdigkeiten
Barocke Stadtanlage
Rathaus, Hafen und Invalidenhaus
Deutsches Hugenotten-Museum
Weser-Therme
Kurzentrum mit Gradierwerk
Helmarshausen: Krukenburg
Kloster-Areal
Museum mit Ausstellung

Information
Kur- und Touristik-Information
Rathaus, 34385 Bad Karlshafen
Tel. 05672-999922
Fax 05672-999925
kurverwaltung@bad-karlshafen.de
www.bad-karlshafen.de

Weitere Informationen auf Seite 56

211
Auf der Hüwe
Bierenberg
273
Wald
Derental
241
Blankenau
Weser
Twerberg
Eggeberg
223
289
Waltherberg
212
Schirmeke
102
Meinbrexen
Drenke
156
Wiehorn
Selsberg
Beissemberg
Eilsen
NSG
Elisenhöhe
Wandelnsberg
255
ST
287
Weser-Radweg
83
318
Beverungen
55
Meinbrexer Str.
272
Moosberg
97
235
241
m
154
330
Burg Str.
Bahnhofstr.
276
200
stillgelegt
Bf
Lauenförde
Brügge-feld
Bever
Hintern Brink
230
80
Bad
Karlshafen
98
Wiesenfeld
An der Saline
Am Tunnel
R 4
Hundebreite
45
Weser-Therme
336
Roggenthal
Mündener Str.
162
Bustollen
264
286
Weser
Bf
Übern Teiche
241
Würgassen
R 99
m
Diemel-Radweg
276
Sieburg
50
Schäferstr.
Herstalstr.
m
Hugenotten-Turm
Diemel-höhe
331
Kraftwerk stillgelegt
Herstelle
183
Jakobsberg
Krukenburg
Hilkenberg
297
339
83
132
Hersteller
273
4
Wahmbeck
Dalhausen
Wald
168
13
5
m
200
300
200
m

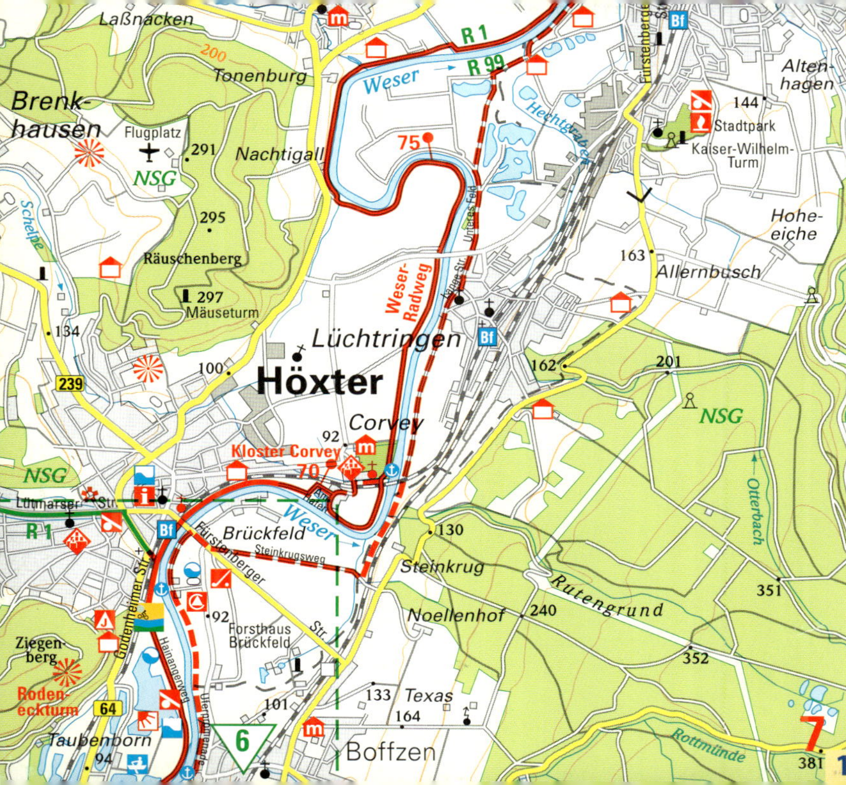

Höxter

🛈 Sehenswürdigkeiten

- Historische Altstadt
- Weserrenaissance
- Dechanei
- Historisches Rathaus
- Forum Jacob Pins
- Schloss Corvey
- Freizeitsee Höxter-Godelheim
- Dampferfahrten

🛈 Information

Tourist-Information
Höxter Historisches Rathaus
Weserstr. 11, 37671 Höxter
Tel. 05271-19433, Fax 05271-9631907
info@hoexter.de,
www.hoexter.de

Weitere Informationen auf Seite 58

Höxter-Corvey

🛈 Sehenswürdigkeiten

- Schloss Corvey mit Kaisersaal und herzoglichen Salons
- Bibliothek mit über 70.000 Bänden
- Stadtmuseum Höxter
- Abteikirche mit karolingischem Westwerk
- Kreuzgang
- Grab Hoffmann-von-Fallersleben

🛈 Information

Kulturkreis Höxter-Corvey
37671 Höxter
Tel. 05271-694010, Fax 05271-694400
empfang@schloss-corvey.de
www.schloss-corvey.de

Weitere Informationen auf Seite 58

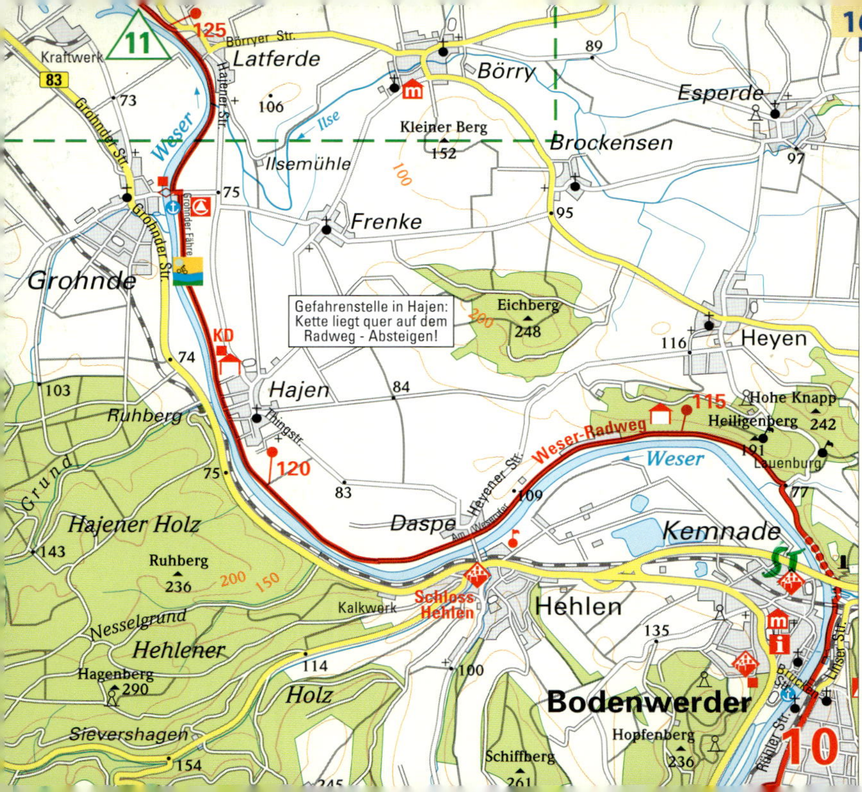

Bodenwerder

Sehenswürdigkeiten

- Geburtsort Baron v. Münchhausen
- Heimat von Aschenputtel
- Münchhausen-Museum
- Aschenputtelzimmer
- über 1000jährige Klosterkirche Kemnade
- Burgruine Polle mit Museum
- Weserschifffahrt u. Wasserwandern
- Sommerrodelbahn u. Bikerregion

Information

Tourist-Info Bodenwerder
Münchhausenplatz 3, 37619 Bodenwerder
Tel. 05533-40541, Fax 05533-40562
info@muenchhausenland.de
www.muenchhausenland.de

Weitere Informationen auf Seite 61

Aschenputtel

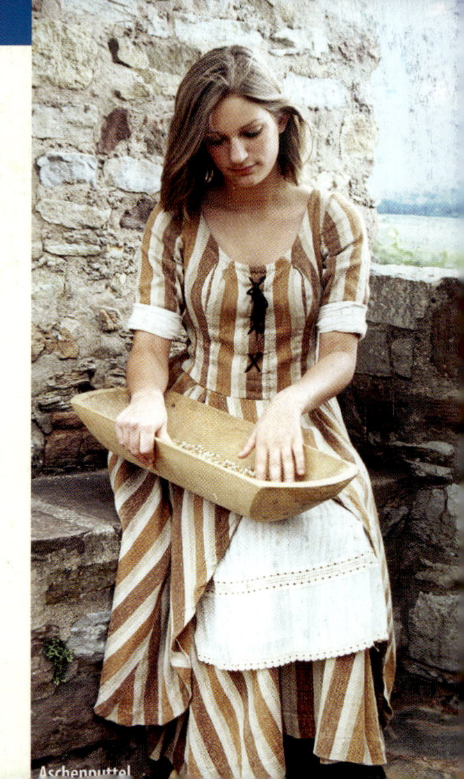

Ottensteiner
VW Ovelgönne
110
Weserhof
284
Hattenser Kirche
Kölkerberg
223
Kugelberg
272
Brökeln
161
Lutterburg
Ottenstein
274
Ernestinental
Hohe
Lichtensruh
321
Feldberg
142
Echternberg
257
99
Siedl. am Ehrberg
Hochfläche
267
251
200
Bargrund
Eschelbach
Steinmühle
231
Feriendorf 126
83
Pegestorf
Lühnsche Lieth
Kleff
281
Steinbreite
225
96
105
78
Rühle
Dölme
Rühler Str.
Bodenwerdersche Str.
Golmbacher Str.
Breitestein
131
98
283
Grave
110
208
Wisselberg
310
100
Hangberg
254
Untere Str.
Eckberg
83
243
Brevörde
95
Weser-Radweg
Birkenhof
Weser
ST
Polle
83
Lange Str.
Äpeltern
239
Lütgenade
Domäne Heidbrink
91
zur Brille
99
Reileifzen
Pagenrücken
Schumacher Allee
Harmser Str.
8
Weiße Mühle
Warbsen
9
17

Bad Karlshafen

Fähre auf der Oberweser

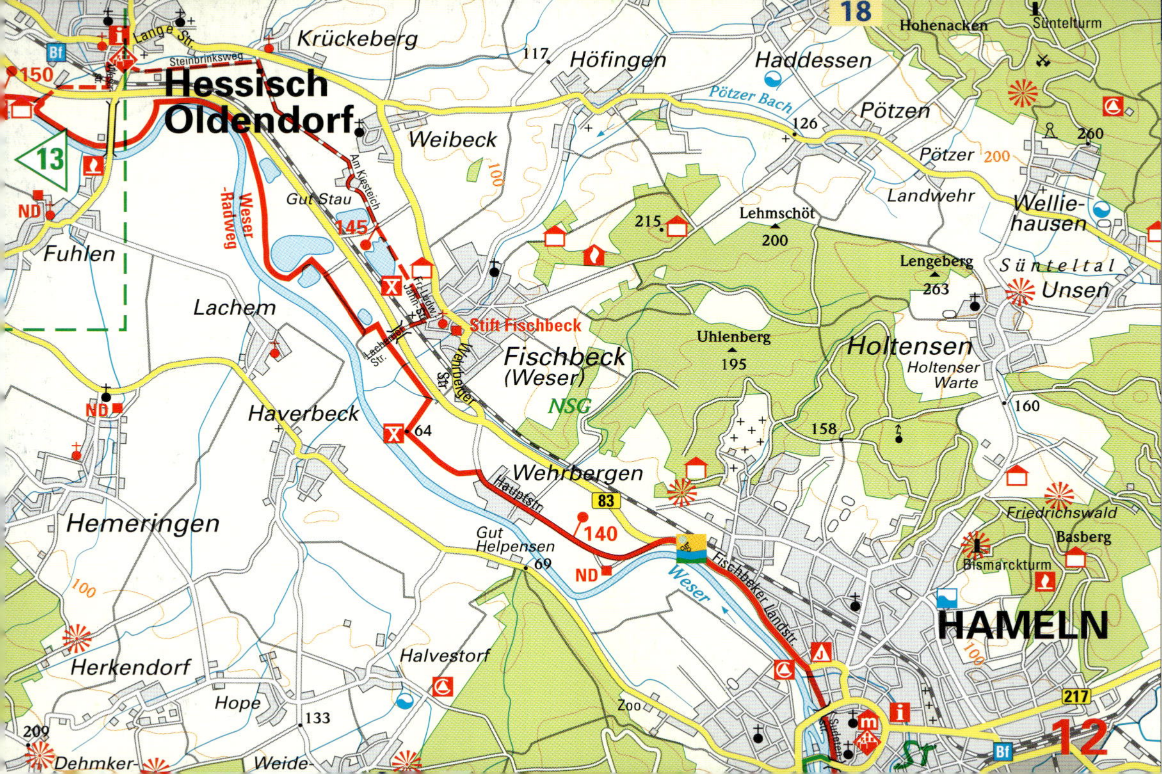

Hameln

Sehenswürdigkeiten

- Altstadt
- Rattenfänger-Freilichtspiel
- Musical RATS
- Figurenspiel am Hochzeitshaus
- Glasbläserei
- Museum Hameln
- Inschrift am Rattenfängerhaus
- Tägliche Stadtführungen

Information

Hameln Marketing und Tourismus GmbH

Deisterallee 1, 31785 Hameln
Tel. 05151-957823, Fax 05151-957840
touristinfo@hameln.de
www.hameln.de

Weitere Informationen auf Seite 63

Emmerthal

- Schloss Hämelschenburg
- Museum für Landtechnik und Landarbeit Börry
- Hüossen-Denkmal in Hajen
- Heimatstube Frenke
- Weser-Fähren
- Vithal-Bad
- Ohrbergpark
- Kernkraftwerk Grohnde

Information

Tourist-Information Emmerthal

Berliner Straße 15, 31860 Emmerthal

Tel. 05155-690, Fax 05155-6931

rathaus@emmerthal.de

www.emmerthal.de

Weitere Informationen auf Seite 62

Hessisch Oldendorf

Sehenswürdigkeiten

- Stift Fischbeck, Führungen
- Schillat-Tropfsteinhöhle Langenfeld
- Naturschutzgebiet „Hohenstein"
- Münchhausen-Hof (Weserrenaissance)
- Weserfähre Großenwieden

Information

Tourist-Info Hessisch Oldendorf

Marktplatz 13, 31840 Hess. Oldendorf
Tel. 05152-782164, Fax 05152-782211
tourist@stadt-hessisch-oldendorf.de
www.hessisch-oldendorf.de

Weitere Informationen auf Seite 64

Rinteln

Sehenswürdigkeiten

- Historische Altstadt
- St. Nikolai-Kirche
- Heimatmuseum
- Erlebnispark „steinzeichen"
- Erholungsgebiet Doktorsee
- Fahrraddraisinen
- Kloster Möllenbeck
- Burg Schaumburg

Information

Tourist-Information

Marktplatz 7, 31737 Rinteln
Tel. 05751-403980, Fax 05751-403989
tourist@rinteln.de
www.rinteln.de

Weitere Informationen auf Seite 65

Fähre in Großenwieden

Todenmann
Elsbergen
Fülme
Gut Dankersen
ND
Luhdener Klippe
204 Klippe
250
Westendorfer Egge
Steinbergen
Westendorf
Deckbergen
Gut Bodenengern
KD
Hünenburg
ND
Paschenburg
Schloss
Schaumburg
ND
Rohden
Rohdental
200
118
Raiffeisenstr.
Weser Str.
170
Weser-Radweg
Aue
Weser
Doktor-see
Hafen
52
Bf
Engern
160
Berliner Str.
Zu den Kiesteichen
Rinte
Neelhof-siedlung
NSG
Ahe
Oldendorfer Str.
Kohlenstädt
Weser-Radweg
Welsede
117
Segel-horst
83
Hessisch Oldendorf
165
Hartler Str.
Uslarer Str.
ND
Rinteln
54
55
Großer Neelhof
Kleinen-wieden
Kleinenwiedener Str.
Großenwieden
ST
Hauptstr.
NSG
Kloster Möllenbeck
Hessendorf
238
Draismen- u. Güterverkehr
Exten
Saarbecker Str.
62
Ländstr.
155
Hohenrode
60
Weser
Bf
150
Stemmen
112
Möllenbeck
88
Strücken
Hünenburg
230
ND
Staatsforst
300
Rumbecker
Ludwigsturm
344 Berg
ND
Rumbeck
12
146
Krankenhagen
Exter
Uchtdorf
Weseberg
21
Wennekamp
Volksen
Heßlingen
Fuhlen
66
ND
13

Porta Westfalica

![] Sehenswürdigkeiten

- Kaiser-Wilhelm-Denkmal
- Wittekindsburg u. -quelle
- Grundmauern einer Kreuzkirche
- Wind- und Wassermühlen
- Fernsehturm mit Bismarck-Gedenkzimmer
- Porta-Kanzel
- Besucherbergwerk und Museum Kleinenbremen

![] Information

Haus des Gastes
Kempstr. 6,
32457 Porta Westfalica
Tel. 0571-791280
Fax 0571-791279
tourismus@portawestfalica.de
www.portawestfalica.de

Weitere Informationen auf Seite 68

Minden

![] Sehenswürdigkeiten

- 1000jähriger Dom, Domschatzkammer
- Wasserstraßenkreuz
- Schachtschleuse
- Raddampfer „Wappen von Minden"
- Schiffmühle
- Preußen-Museum
- Potts Freizeitpark
- Historische Stadtführung

![] Information

Minden Marketing GmbH
Domstraße 2
32423 Minden
Tel. 0571-8290659
Fax 0571-8290663
info@mindenmarketing.de
www.mindenmarketing.de

Weitere Informationen auf Seite 69

Werster-holz
Eidinghausen
Werste
Hahnen-kamp
Dehme
Alter See
Mittlerer See
NSG Südlicher See
Lohbusch
Costedt
Im
Holzhausen
Alter Postweg
Gutsstr.
Maschweg
Flugplatz Vennebeck
190
Vennebeck
Hitzepohl
Huxhöhe
97
Bornholz
Holz hau
Mark
Rehme
Mühlenrott
Werre
E30
AS Porta Westfalica
Schierholz
Auf der Klinke
Eisbergen
85
E30
61
Vössen
Oberlgh
Eschweg
Vennebecker-bruch
NSG
In dem Bruche
Bf
AS Löhne-Gohfeld
Unterm Brink
Friedrich Wilhelm Str.
Lahrogt
Möllberger Str.
Möll-bergen
Raiffeisenstr.
Mel-bergen
AS Bad Oeynhausen
89
Holtrup
Mühlenstr.
Mühlenstr.
65
Auf der Lüchte
Auf dem Bokshorn
Bad Oeynhausen
Bf
185
Zwischen km 178 und km 180 teilweise starke Steigung bzw. Gefälle.
Alternative: von km 178 die Alternativstrecke nach Vössen.
175
Gohfeld
Bruch
514
Ober-becksen
150
Heuweg
Weser-Radweg
Veltheim
Weser
Fährzeiten Apr.-Okt.: Sa/So 10-19 Uhr
13
112
Buhn
Fähre Bahnegge
180
Eggeweg
Buhn
50
51
Steinberg
Wölpke
100
Unterm Brink
Rintelner Str.
Schmiedebusch
Erder
88
NSG
Stemmer see
Ebenöde
200
Borlefzen
Varenholz
Bf
Burg Vlotho
Uffeln
181
Biershöhe
Vlotho
514
23
Schloss Varenholz
14

Vlotho
Sehenswürdigkeiten
Amtshausberg mit Burgruine
Historische Innenstadt (z. T. 17. Jh.)
Autobahnkirche Exter"
Kappenwindmühle Exter
Hist. Hammerschmiede
Kurpark
Naturlehrpfad
Geschichtpfad
Information
Vlotho Marketing GmbH
Lange Str. 111, 32602 Vlotho
Tel. 05733-881188
Fax 05733-881187
touristik@vlotho.de
www.vlotho-tourismus.de
Weitere Informationen auf Seite 66

Bad Oeynhausen
Sehenswertes
Kurpark mit historischen Gebäuden
Aqua Magica mit Wasserkrater
GOP Varieté
Casino
Gradierwerk (Saline)
Märchen- und Wesersagennmuseum
Museumshof
Bonbonmanufaktur
Information
Tourist-Information Bad Oeynhausen
Im Kurpark,
32545 Bad Oeynhausen
Tel. 05731-1300
Fax 05731-131335
staatsbad@badoeynhausen.de
www.badoeynhausen.de
Weitere Informationen auf Seite 67

Raddampfer „Wappen von Minden"; im Hintergrund: Altstadt von Minden

Schiffmühle Minden

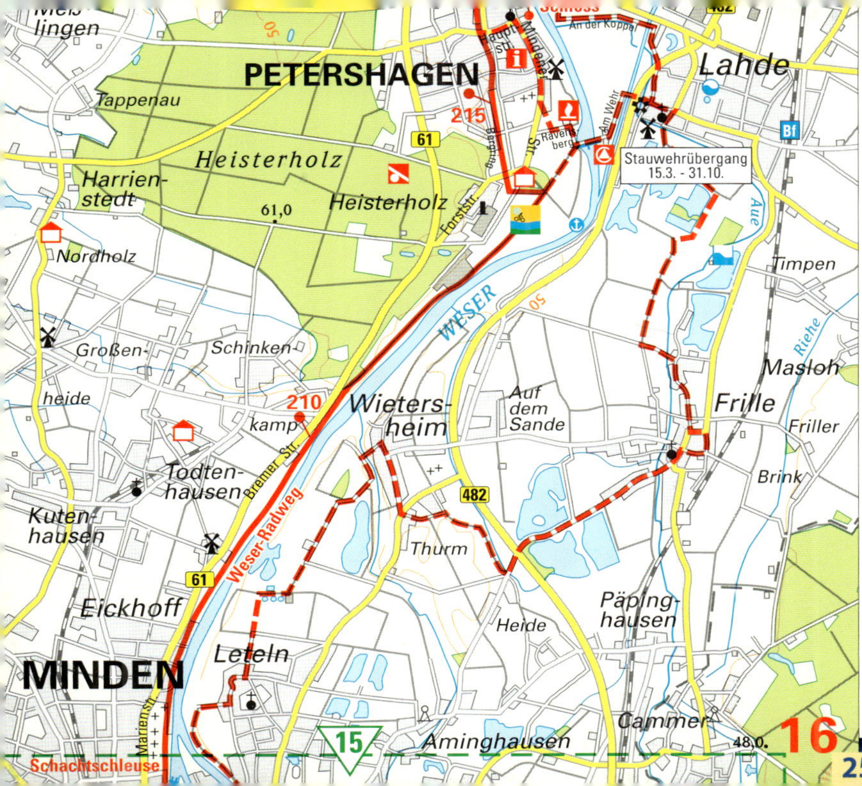

Solarfähre PETRASOLARA

Petershagen

Sehenswürdigkeiten

- Schloss Petershagen
- Alte Synagoge Petershagen
- Wind- und Wassermühlen
- Industriemuseum Glashütte Gernheim
- Heringsfängermuseum Heimsen
- Storchenmuseum Windheim
- Findlingswald Neuenknick
- Weserkirchen

Information

Tourist-Info im Alten Amtsgericht
Mindener Straße 16, 32469 Petershagen
Tel. 05707-90010, Fax 05707-900119
tourismus@petershagen.de
www.petershagen.de

Weitere Informationen auf Seite 70

Glashütte Gernheim

Sehenswürdigkeiten

- St. Jacobi Kirche
- Freihof des Baron v. Münchhausen
- Ensemble des Amtsgerichts
- Rathaus Stolzenau
- Kloster Schinna
- Kirche St. Vitus in Schinna
- St. Martins Kirche Nendorf

Information

Gemeinde Stolzenau

Am Markt 4, 31592 Stolzenau

Tel. 05761-7050, Fax 05761-70519

gemeinde@stolzenau.de

www.stolzenau.de

Weitere Informationen auf Seite 71

Marklohe

Sehenswürdigkeiten

- Heimatstube in Wietzen
- Sankt-Clemens-Kirche Marklohe
- Plattdeutsche Theateraufführungen
- Schleuse Sebbenhausen

Information

Tourist-Info Samtgemeinde Marklohe
Rathausstr. 14, 31608 Marklohe
Tel. 05021-60250
Fax 05021-602560
rathaus@marklohe.de
www.marklohe.de

Weitere Informationen
auf Seite 75

Heemsen/ Drakenburg

Sehenswürdigkeiten

- Historisches Altdorf Drakenburg
- Weserrenaissance-Torbogen
- Wassererlebnispark Drakenburg
- Schönes Altdorf Rohrsen
- Schanzenberg in Rohrsen
- Alte Kapelle Haßbergen:
- Schafstall Haßbergen
- Schöne, wesernahe Streckenführung

Information

Samtgemeinde Heemsen
Wilhelmstraße 4, 31627 Rohrsen
Tel. 05024-98050
Fax 05024-980555
info@heemsen.de
www.heemsen.de

Weitere Informationen
auf Seite 76

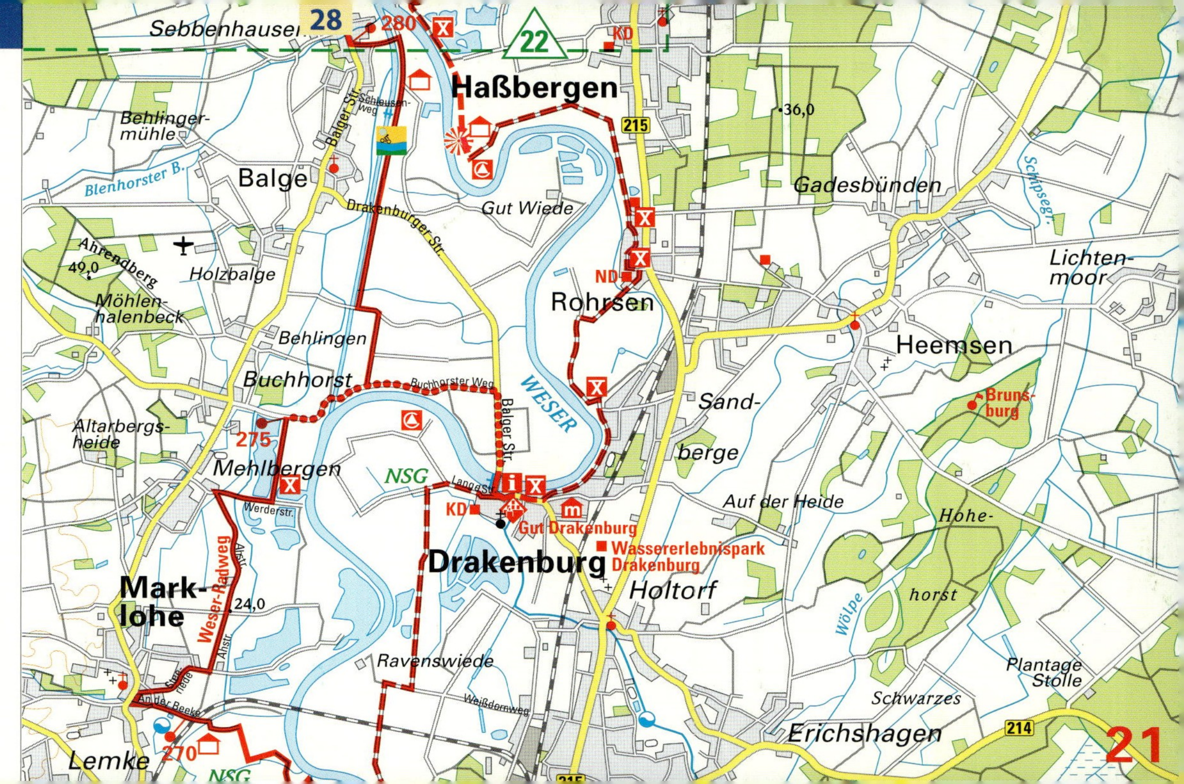

Liebenau

Sehenswürdigkeiten
Heimathaus „Witten Hus"
Liebenauer Scheunen-
viertel
Sächsisches Gräberfeld
Kanuanleger
Fischtreppe an der Aue
Attraktive Radrundwege
Rottweil-Schießstand

Information
Tourist-Info im Rathaus Liebenau
Ortstraße 28, 31618 Liebenau
Tel. 05023-2922, Fax 05023-1722
samtgemeinde@liebenau.com
www.liebenau.com

Weitere Informationen
auf Seite 73

Nienburg

Sehenswürdigkeiten
Erkunden Sie die Altstadt
einmal anders: Eine Bären-
spur führt zu den historischen Sehenswürdigkeiten

Information
Mittelweser-Touristik GmbH
Lange Str. 18, 31582 Nienburg
Tel. 05021-917630
Fax 05021-9176340
info@mittelweser-tourismus.de
www.mittelweser-tourismus.de

Weitere Informationen
auf Seite 74

NIENBURG
(Weser)

Kroge
Düster-
see
Oyle
Seegraben
Bühren
WESER
Brückenstr
Hafen
Bf
265
Verdener Str

Krähen-
NSG
Krähenberg
Krähe
Führser
Mühle
Führser
Mühlengraben

Berliner Ring
Mindener Landstr
Bussenstr

Forsthaus
Rothenkamp
Döhrenkamp
ND
Gr. Aue
Binnen
Arkenberg
Leeseringer Weg
26,0
Schäferhof
Raiffeisenstr
Dahlöschlenstr
Kattriede
260
Forstweg
Langen-
damm
Steinhuder Meerbach
Kuckucksberg
Standort-
übungsplatz
.53,0

Lange Str.
Liebenau (Fl.)
215
Leeseringen
Marschstr
Eickhof
Hafenstr
Hafen
Bruchstr
Weser-Radweg
Nienburger
Bruch
Nienburger
Bruch
ND
Bruch
63,0

Spelshausen
Auf dem Rollkamp
19
ND
ND
255
Mindener Landstr
Estorf
Scheunenviertel
KD
Alte
Burgstr
29
Große Weserlandroute

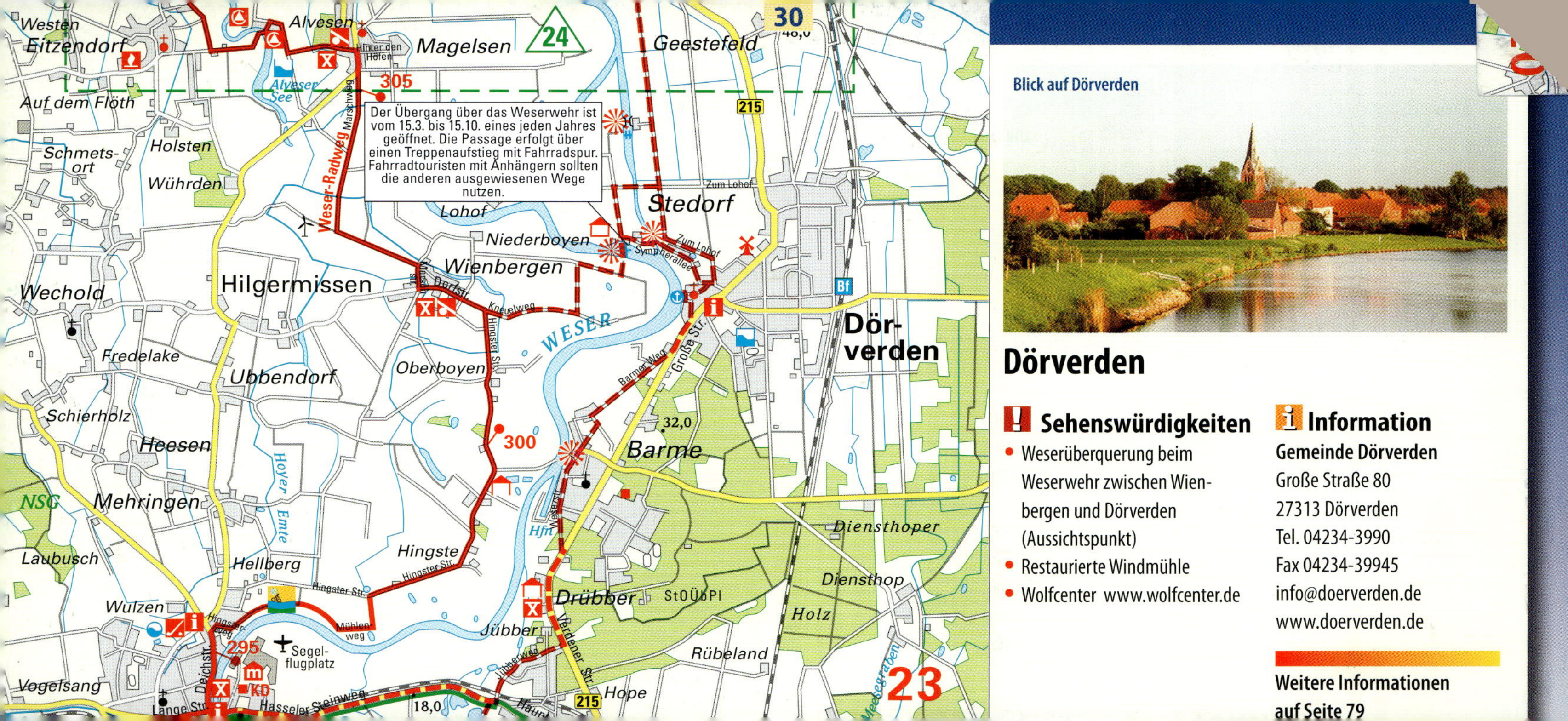

Dörverden

Sehenswürdigkeiten

- Weserüberquerung beim Weserwehr zwischen Wienbergen und Dörverden (Aussichtspunkt)
- Restaurierte Windmühle
- Wolfcenter www.wolfcenter.de

Information

Gemeinde Dörverden
Große Straße 80
27313 Dörverden
Tel. 04234-3990
Fax 04234-39945
info@doerverden.de
www.doerverden.de

Weitere Informationen auf Seite 79

Hoya *(siehe Karten 22 + 23)*

🏛 Sehenswürdigkeiten

- Historische Altstadt Hoya
- ehemaliges Grafenschloss Hoya
- Kulturzentrum Martinskirche in Hoya
- Segelflugplatz in Hoya
- Stiftskirche in Bücken
- Alveser See in Hilgermissen
- Niedersachsens Mitte in Hoyerhagen
- Weserfähre in Schweringen

ℹ Information

Samtgemeinde Grafschaft Hoya

Schloßplatz 2, 27318 Hoya/Weser

Tel. 04251-8150, Fax 04251-81550

rathaus@hoya-weser.de

www.hoya-weser.de

Weitere Informationen auf Seite 77

Eystrup

🏛 Sehenswürdigkeiten

- Turmholländermühle „Margarethe"
- Naturdenkmal Zwillingslinde
- Senf-, Öl- und Essigfabrik
- Älteste Kirche der Region in Hassel
- Weserfähre Gandesbergen
- Naturlandschaft Hämelheide
- Naturdenkmal Mahlen

ℹ Information

Samtgemeinde Eystrup

Bahnhofstraße 53, 27324 Eystrup

Tel. 04254-93100, Fax 04254-1309

info@eystrup.de

www.eystrup.de

Weitere Informationen auf Seite 78

Bierden
Achim
Uesen
Baden
32
27
E234
Giers-berg
Daverdener
Völkersen
Börn-kamp
Brand
Lind-holz
Speckenholz
Etelsen
Häse-feld
Lessel
Holte-büttel
Achimermarsch
Am Werder
An der Marsch
Brückenstr.
Verdener Str.
Hfn
335
Üserhütte
Müllwerder
WESER
Finkenburg
Achimer Landstr.
9,4
Alte Aller
22,0
Schleusenstr.
330
Cluven-hagen
Daverden
Försten
Langwedel
Förth
Nin-dorf
27
E234
Werder
Eißel
Streek
Köllendiekenweg
Oetzer Seegr.
Eiter
Weser-Radweg
340
Kirchwiede
Lehmstr.
Braunschweiger Str.
Mai bis Oktober an Wochenenden und Feiertagen in Betrieb
Grinden
Hagener Str.
Grinden
Schogrinden
Heemhude
Altenhude
Schleusenkanal
Försten
Meyerwiede
Weser-Radweg
Lunsen
Ahsen
Ahsener Str.
Oetzen
Schifferstr.
Nottorf
Nettorfer Str.
Hafenstr.
Intscheder Dorfstr.
Am Wehr
Winkel
Intschede
Klein-
325
Auf der Esch
Eisseler Str.
Eissel
Dauelsen
215
Verden-Nord
27,0
Erbhof Thedinghausen
Thedinghausen
Holtorf
Mittel-gr.
Fleet
Morsum
Knickende
Kl. Wulmstorf
Blender Emte
Reer
Im
Landwehr
8,3
Sachsen-hain
26
4
25
Achim
Sehenswürdigkeiten
St. Laurentius – Kirche
Achimer Windmühle
Haus Hünenburg mit Ringwallanlage
Rathaus mit Zigarrenmacher-stube
Achimer Glockenspiel
Riekes Honigkuchenfabrik (Fassade)
Clüverhaus im Bauernviertel
Achimer Wochenmarkt
Information
Mittelweser-Touristik GmbH
Tourist-Information Achim
Obernstraße 38, 28832 Achim
Tel. 04202-2949, Fax 04202- 910516
info@achim-tourismus.de
www.achim.de
Weitere Informationen auf Seite 82

Verden

⛨ Sehenswürdigkeiten

- Dom
- St. Johanniskirche
- Deutsches Pferdemuseum
- Domherrenhaus, Historisches Museum
- Fischerviertel
- Sachsenhain
- Storchenpflegestation
- Verwell

ℹ Information

Tourist-Information

Große Str. 40, 27283 Verden (Aller)

Tel. 04231-12345, Fax 04231–12320

touristik@verden.de

www.verden.de

Weitere Informationen auf Seite 80

Langwedel (siehe Karte 25)

⛨ Sehenswürdigkeiten

- Schloss Etelsen, Park und Mausoleum
- Galerieholländer „Jan Wind"
- heimatkundliches Museum Etelsen
- historische Kirche Daverden

ℹ Information

Langwedeler Rathaus

Große Straße 1, 27299 Langwedel

Tel. 04232-3912, Fax 04232-3991

rathaus@langwedel.de

www.langwedel.de

www.touristik-langwedel.de

Weitere Informationen auf Seite 81

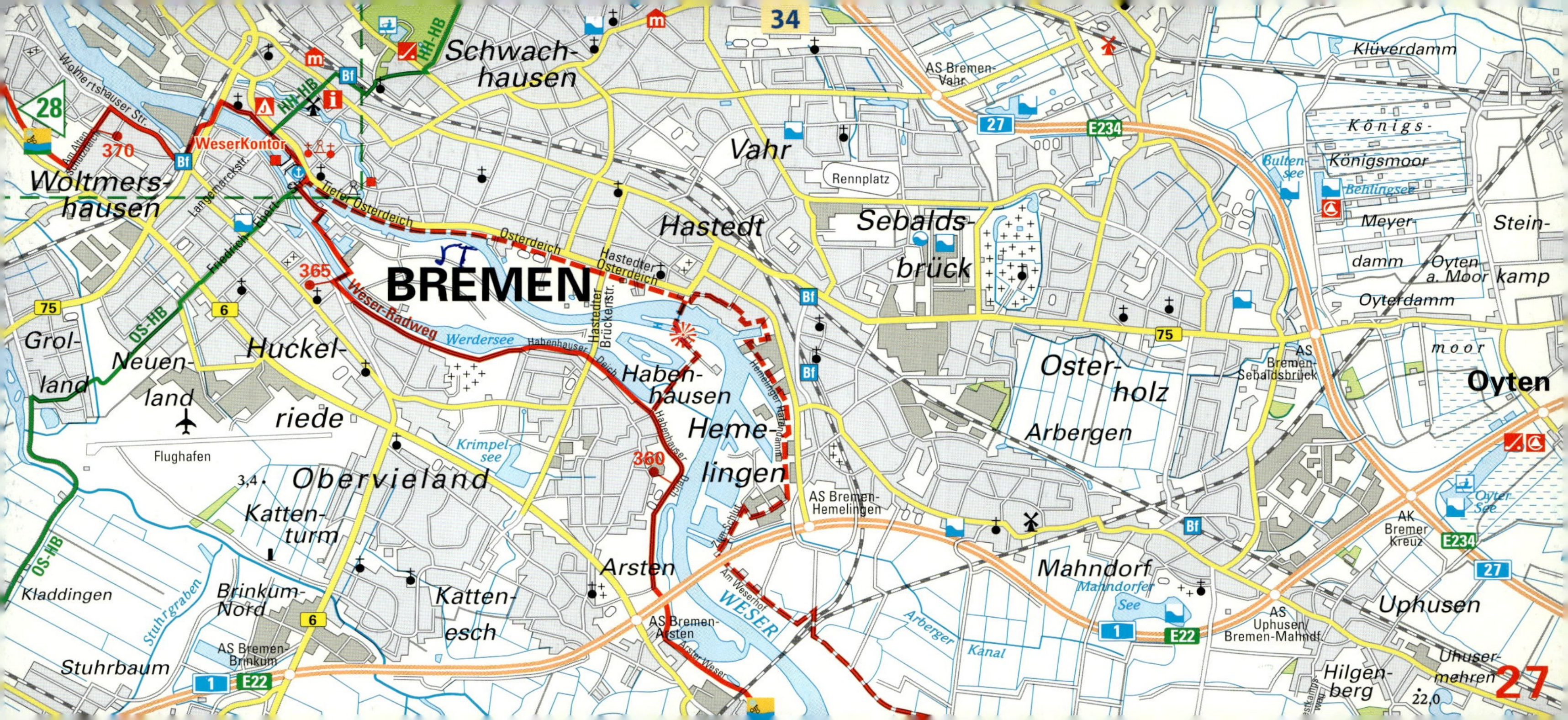

28
370
WeserKontor
Bf
HH-HB
Woltmershauser Str.
Schwach-
hausen
34
AS Bremen-
Vahr
Klüverdamm
Königs-
Königsmoor
27
E234
Bullen-
see
Behlingsee
Meyer-
damm
Oyten
a. Moor
Stein-
kamp
Oyterdamm
Vahr
Rennplatz
Hastedt
Sebalds-
brück
75
Woltmers-
hausen
Langemarckstr.
Tiefer
Osterdeich
Osterdeich
Hastedter
Osterdeich
365
Weser-Radweg
BREMEN
Hastedter
Brückenstr.
Bf
AS
Bremen-
Sebaldsbrück
m o o r
m o o r
Oyten
75
6
75
US-HB
Grol-
land
Neuen-
land
Huckel-
riede
Werdersee
Habenhauser
Deich
Haben-
hausen
Heme-
lingen
Hemelinger
Hafendamm
Bf
Bf
Osterholz
Arbergen
Flughafen
Krimpel-
see
3,4
Obervieland
Kattenturm
Habenhauser
Damm
360
Arsten
AS Bremen-
Hemelingen
AK
Bremer
Kreuz
E234
Mahndorf
Mahndorfer
See
27
OS-HB
Kladdingen
Brinkum-
Nord
Katten-
esch
6
AS Bremen-
Brinkum
Stuhrgraben
Am Weserhof
WESER
Arsen Weser
Arberger
Kanal
1
E22
AS
Uphusen
Bremen-Mahndf.
Uphusen
Stuhrbaum
1
E22
AS Bremen-
Arsten
Oyten-
See
Hilgen-
berg
Uhuser-
mehren
22,0
27

Thedinghausen

(siehe Karte 25)

Sehenswürdigkeiten

- Kirchen und Windmühlen
- Bademöglichkeit im Blender See
- Weserfähre „Gentsiet"
- Schloss Erbhof mit Baumpark
- Thänhuser Löwenspur
- Rathausensemble mit Taubenturm
- Museumsbahn Pingelheini
- Fahrgastschifffahrt

Information

Tourist-Info Rathaus Thedinghausen

Braunschweiger Str. 10
27321 Thedinghausen
Tel. 04204-8822, Fax 04204-8844
touristik@thedinghausen.de
www.thedinghausen.de

Weitere Informationen auf Seite 83

Weyhe

Sehenswürdigkeiten

- Wassermühle und Fachwerk-spieker
- Museumslok
- Naturschutzgebiet Böttchers-moor
- Yachthafen Wieltsee
- Museumsbahn „Pingelheini"
- Fahrgastschifffahrt auf der Weser
- Marktplatz mit Weyher Theater
- Freibad und Kirchen

Information

Gemeinde Weyhe

Rathausplatz 1
28844 Weyhe
Tel. 04203-710, Fax 04203-71142
rathaus@weyhe.de
www.weyhe.de

Weitere Informationen auf Seite 84

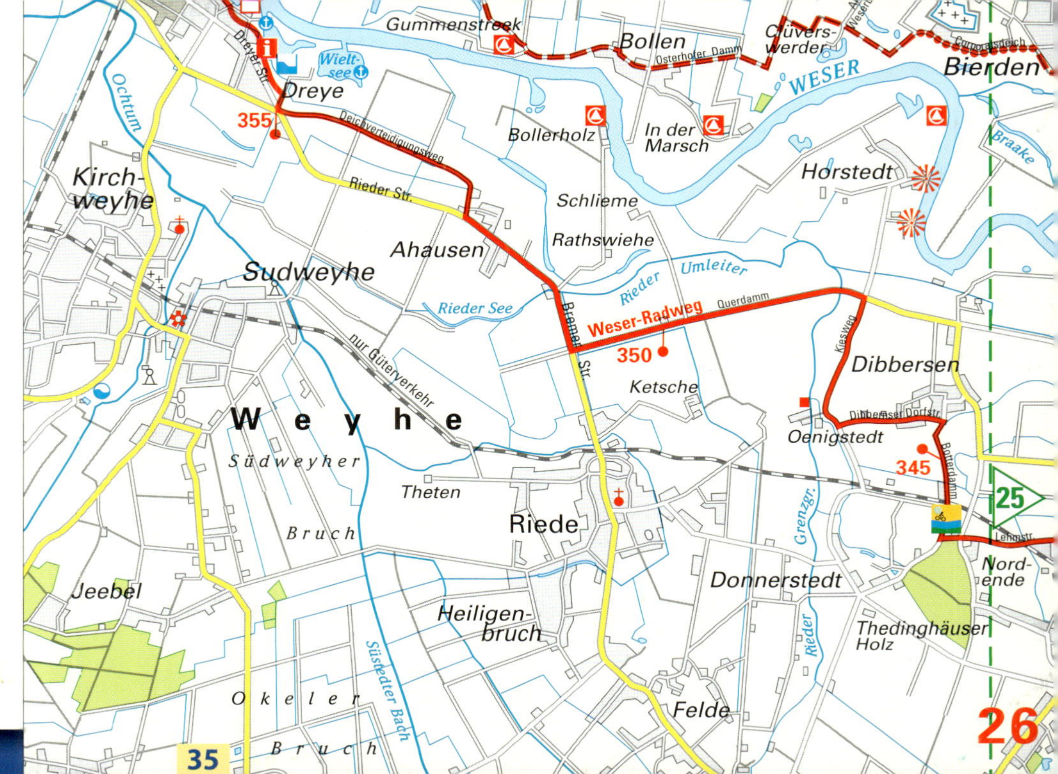

Bremen

Sehenswürdigkeiten

- Marktplatz UNESCO Welterbe-Ensemble
- Rathaus mit Ratskeller, Roland
- Stadtmusikanten, St. Petri Dom
- Böttcherstraße mit Glockenspiel
- Schnoorviertel, Haus Schütting
- Universum Bremen
- botanika, das grüne Science Center
- Schulschiff Deutschland

Information

Tourist-Informationen

Obernstraße/Liebfrauenkirchhof
und Hauptbahnhof
Tel. 0421-3080010, Fax 0421-3080058
btz@bremen-tourism.de
www.bremen-tourismus.de

Weitere Informationen auf den Seiten 85 + 86

Fahrgastschifffahrt auf der Weser in Bremen

Duhwarden
Barde-wisch
Husum
Sannau
Hörspe
Weser-Radweg WESER
385
Tecklen-burg
Deichhauser Str.
29
Niederbüren
Werder-
land
281
27
Stahlwerke Bremen
Industriehafen
Piepe
graben
Bf
Oslebs-hausen
Blockland
Maschinen Reet
Altenesch
Braake
Süderbrook
Hauptstr.
Moorlosen Kirche
Ochtumer Sperrwerk
380
Industrie-
häfen
E234
2,3
Gröpelingen
Delmenhorster Str.
Ochtum
nur Güterverkehr
Seehauser Ufer
Hasenbüren
AS Bremen-Freihafen
Waller Fleet
6
Mönchhof
Hörsper Ollen
Ochtum
Deich-hausen
Mühlenhaus
Seehausen
Nieder-
nur Güterverkehr
Osterfeuer-berg
Bf
Nutz-
horn
Ochsenweide
Sand-hausen
Achterkampsfleth
Senator-Apelt-Str.
375
Weser-Radweg
Walle
Schönemoor
Rablinghausen
Schier
Hemmels-kamp
Neuen-deel
Delme
vieland
Senator-Apelt-Str.
BREMEN
27
m
Bf
brok
Heide
3,2
Strom
Wohltershauser Str.
HH-HB
i
ND
Hasbergen
Stromer Str.
Woltmers-hausen
Am Alten
370
Bf
Langemarckstr.
28
Stenum
Bunger-hof
Brücken-esch
Schohasbergen
37

Wehrder
Wehrder-
höhle
Drei-
Schlüter-
deich
sielen
Weser-
sand
Bettling-
bühren
Furt
400
Weser-Radweg
Julius-
plate
Weser-Str.
Huntebrück
Füllje
Neuen-
huntorfersiel
Schlüte
212
Ranzen-
büttel
74
Blumen-
thal
395
Deichstr.
Lüssum
Rönne-
beck
Beckedorf
HAMMERS-
beck
Leuchten-
burg
Hohenhorst
Löhnhorst
Hünerts-
hagen
Wald-
horst
Aue
Blumenthaler
0,8
Neuen-
huntdorf
Berne
Bf
74
Coldwei
Campe
Hannöver
Ollen
1,3
Glüsing
Warfleth
Ganspe
Motzen
Deichstr.
Hfn
Motzener Str.
WESER
Lobbendorf-
dorf
Aumund
Schöne-
beck
Vegesack
Bf
Grohn
Industriestr.
74
Bf
390
Deichstr.
Bardenfleth
Bardenfleth Str.
Lechterseite
Doorgraben
Motzener Kanal
Hiddigwarden
Ritzenbüttel
Barschlüte
Lemwerder
Depenfleth
Werderland
Buttel
Köten
Neue Ollen
Neuenburg moor
Hekeln
Katjen-
büttel
Ollen
1,4
Butzhausen
Stedinger Str.
Lesum
Hekelner Kanal
Harmen-
hausen
Dunwarden
Deichs-
hausen
Stedinger Str.
Teckelnburger Str.
nur Güterverkehr
Weser
Werderland
Hiddig-
warden-
moor
Ochholt
Krögerdorf
212
Barde-
wisch
Husum
Sannau
28
385
Weser Radweg
39
29
24,0
nur Güterverkehr

Lemwerder

Sehenswürdigkeiten
St.-Veit-Denkmal
Heilig-Geist-Kirche
Heilig-Kreuz-Kirche
St.-Gallus-Kirche
Kapelle am Deich
Ochtum-Sperrwerk
Schwarzer Leuchtturm

Information
Gemeinde Lemwerder
Stedinger Str. 51, 27809 Lemwerder
Tel. 04 21-673933, Fax 04 21-673954
tourismus@lemwerder.de
www.lemwerder.de

Weitere Informationen auf Seite 87

Weites Marschenland

Stadland-Rodenkirchen

Sehenswürdigkeiten

- St. Matthäus Kirche
- Friesendenkmal
- historisches Dorf Rodenkirchen
- Sielhäfen
- NSG Strohauser Plate
- altes Deichschaart Absen
- Dielenschiff „Hanni"
- Nachbau Bronzezeithaus

Information

Bürger- und Touristikinformation
Am Markt 6, 26935 Stadland-Rodenkirchen
Tel. 04732-921292, Fax 04732-921293
info@stadland.de
www.stadland-touristikinfo.de

Weitere Informationen auf Seite 90

Brake

Sehenswürdigkeiten

- Schiffahrtsmuseum und Telegraph
- Fischerhaus, erbaut 1731
- alte Handels- u. Packhäuser
- Friedrichskirche mit Grabstätte des Admiral „Brommy"
- Bürgermeisterhaus
- Plassmannvilla

Information

Brake Tourismus u. Marketing e.V.
Kaje 9 (Infopavillon), 26919 Brake
Tel. 04401-19433, Fax 04401-936005
info@brake-touristinfo.de
www.brake-touristinfo.de

Weitere Informationen auf Seite 89

Kaje in Brake

35
37
42
34
Waddenser
Franzius-
plate
Waddenser-
deich
Plate
Tettenser
Langlütjen I
Plate
Brüdde-
warden
Husumer-
deich
Am Deich
WESER
Lehe
Überseehafen-
gebiet
BREMER-
Am Deich
ND
Blexer
KD
450
Schiffdorfer
Schleuse
455
Plate
HAVEN
Waddens
Neuburg
Bär-
Tettens
Langlütjen-
str.
Schockumer-
Auswandererhaus
212
Geeste-
Schiffdorf
Kl. Eck-
warden
Böving
deich
Weser-Radweg
deich
Schockumer Deich
450
6,9
Plate
Klimahaus
AS Bremerhaven-
Mitte
212
Sichter
Gating
Volkers
Deutsches
Schiffahrts-
museum
Waddenser-
wisch
Widders
Schweewarden
Blexerwurp
Segelflugplatz
Schiffdorfer-
Blexer-
wisch
Schütting
Blexen
Bf
damm
Rahden
Bulljadinger Zu- und Entwässerungskanal
Mittel-
deich
KD
Grebs-
warden
212
6
münde
AS Bremerhaven-
Geestemünde
Jerusalem
Phiese-
warden
Einswarden
445
Fischerei-
hafen
Surheide
Seenpark
0,6
Friedrich-
August-
Hütte
Am Deich
Am Salzendeich
Abbehauser-
wisch
Neues
Lunesiel
Apeler
See
Tempel
Martin-Pauls-Str.
Werftstr.
Nur Güterverkehr
Bf
Zirsen
Sarve
Blexer-
sande
8,7
Wul-
34
Moorsee
Kurfürsten-
Lune
Bremerhaven: siehe Kartenblatt 37

Sehenswürdigkeiten

- Museum Nordenham
- Museum Moorseer Mühle
- Freizeit- und Familienpark
- Freizeitbad Störtebeker
- Maritimer Weg (Ochsenpfad)
- Hist. Kaufhaus in Abbehausen
- St.-Hippolyt-Kirche in Blexen

Anleger Unionpier

Strandpromenade Nordenham

Information

Nordenham Marketing & Touristik e.V.

Marktplatz 7, 26954 Nordenham
Tel. 04731-93640, Fax 04731-936446
info@nordenham.net
www.nordenham.net

Weitere Informationen auf Seite 91

44
470
465
Langwarder Deich
Lang-Feldhauser-deich
Langwarder-warden
Langwarder-deich
Fedderwarder-deich
Fedderwarder Deich
Eckwarder Sieltief
Fedderwarder
Feldhauser Str.
Friesenstr.
Buttjadinger Str.
Langwarder-meide
Fedder-wardersiel
Ruhwarder-deich
Mürrwarder
0,8
Großfedder-warden
Weser-Radweg
Sollhörner
Lang-
lütjen-
sand
Niens
Ruhwarden
Burmeide
Ruh-
warder-weg
Jericho
Hodder-deich
Fedderwarder
Priel
Tos-sen-ser
Tossenser Deich
Düke
Unkersburg
Sinsum
Süllwarder-burg
Süllwarden
Deich
Kleintossens
Hasen-burg
Burhave
Burhaver-siel
Am Deich
Watt
Tossens
Schütting
Fedderwarder Sieltief
475
Int
Sieltief
Hollwarden
460
Weser-Radweg
Sillenser-deich
Stick
Süllwarder-wisch
Syugge-warden
Waddenser
deich
Am Deich
Mirre
Prie-
Eckwarder
Seeverns
Hollwarder-wisch
Sillens
Plate
Eckwarder-deich
Eckwarder
weg
Eckwarder Sieltief
Waddenser
deich
Brüdde-warden
Husumer-deich
2,0
Kleihausen
Altendeich
Seevenser Mitteldeich
Burhaver
Mitteldeich
Sillenser-wisch
Isens
Waddenser Tief
455
ND
Hagen
Neuburg
Bär-
34
35
37

Granat frisch vom Kutter in Fedderwardersiel

Butjadingen

Sehenswürdigkeiten

- ffn-Nordseelagune in Burhave
- Kunstpromenade am Deich
- Hafen in Fedderwardersiel
- Wattensteg ins UNESCO Welterbe
- Kirche in Langwarden
- Badeparadies „Aquafun" in Tossens
- ffn-Friesenstrand
- Spielscheune Burhave

Information

Tourismus-Service Butjadingen
GmbH & Co. KG
Strandallee 61, 26969 Butjadingen
Tel. 04733-929340, Fax 04733-929399
kontakt@butjadingen.de
www.butjadingen.de

Weitere Informationen auf Seite 92

Bremerhaven (siehe Karte 37)

Sehenswürdigkeiten

- Klimahaus® Bremerhaven 8° Ost
- Deutsches Schiffahrtsmuseum
- Zoo am Meer
- Deutsches Auswandererhaus®
- Historisches Museum Bremerhaven
- Schaufenster Fischereihafen
- Mit dem HafenBus in die Überseehäfen
- Führungen Havenwelten Bremerhaven

Information

Bremerhaven Touristik

H.-H.-Meier-Straße 6, 27568 Bremerhaven

Tel. 0471-414141, Fax 0471-94646190

touristik@bis-bremerhaven.de

www.bremerhaven-tourism.de

Weitere Informationen auf den Seiten 93 + 94

Cuxland

Sehenswürdigkeiten

- Kutterhäfen mit richtigen „Seebären" und fangfrischen Krabben
- Nordseeluft zum Inhalieren
- Leuchttürme und Hafenromantik
- Wanderungen durch Watt und Wiesen

Information

Cuxland Tourismus

Kapitän-Alexander-Str. 1, 27472 Cuxhaven,

Tel. 01805-013125*, Fax 01805-013126*

info@cuxland.de

www.cuxland.de

*) 0, 14 €/Min.

Weitere Informationen auf Seite 95

sand
Hohe-
Langlütjen II
Plate
Franzius-
plate
Langlütjen I
Tettenser
Plate
Blexer
Plate
Waddenser
Plate
Waddenser
deich
Husumer-
deich
Am deich
Brügge-
warden
ND
455
Waddens
Neuburg
Bär-
Tettens
Schockumer-
Weser-Radweg
Schockumer Deich
deich
450
6,9
Volkers
Kl. Eck-
warden
Boving
deich
Galing
Segelflugplatz
Blexerwurp
Blexen
Widders
Schweewarden
Waddenser
wisch
Rahden
212
Blexer-
wisch
Schütting
Grebs-
warden
Mittel-
deich
Phiese-
warden
KD
Nordenham
435
445
Seenpark
Am Salzendeich
Einswarden
47
34
Abbehauserwisch
Jerusalem
0,6
nur Güterverkehr
Werftstr.
450
Am Nordhafen
Im Fischhafen
Überseehäfen-
gebiet
Lehe
Überseehäfen
Stackenstr.
W E S E R
Weser-Radweg
Wieland-Str.
Zollamt
KD
445
Dalmannstr.
Weser-Radweg
212
212
Auswandererhaus
Klimahaus
Deutsches
Schiffahrts-
museum
Am Strom
Am Lunedeich
Fährstr.
Fischerei-
hafen
AS
Bremerhaven-
Überseehäfen
4,3
Spaden
Bf
Spadener
See
BREMER-
27
Schiffdorfer
Schleuse
Geeste
E234
212
AS Bremerhaven-
Mitte
1,6
HAVEN
Geeste-
Sichter
Schiffdorf
Bf
Schiffdorfer-
damm
6
AS Bremerhaven-
Geestemünde
münde
Surheide
37
35

Leuchtturm Obereversand

Dorum

Sehenswürdigkeiten

- Kutterhafen
- Schwefelsole-Wellenfreibad
- Nationalparkhaus
- Niedersächsisches Deichmuseum
- Leuchtturm „Oberfeuer Eversand"

Information

Kurverwaltung Land Wursten

Am Kutterhafen 3, 27632 Dorum

Tel. 04741-9600, Fax 04741-960141

kurverwaltung@wursterland.de

www.wursterland.de

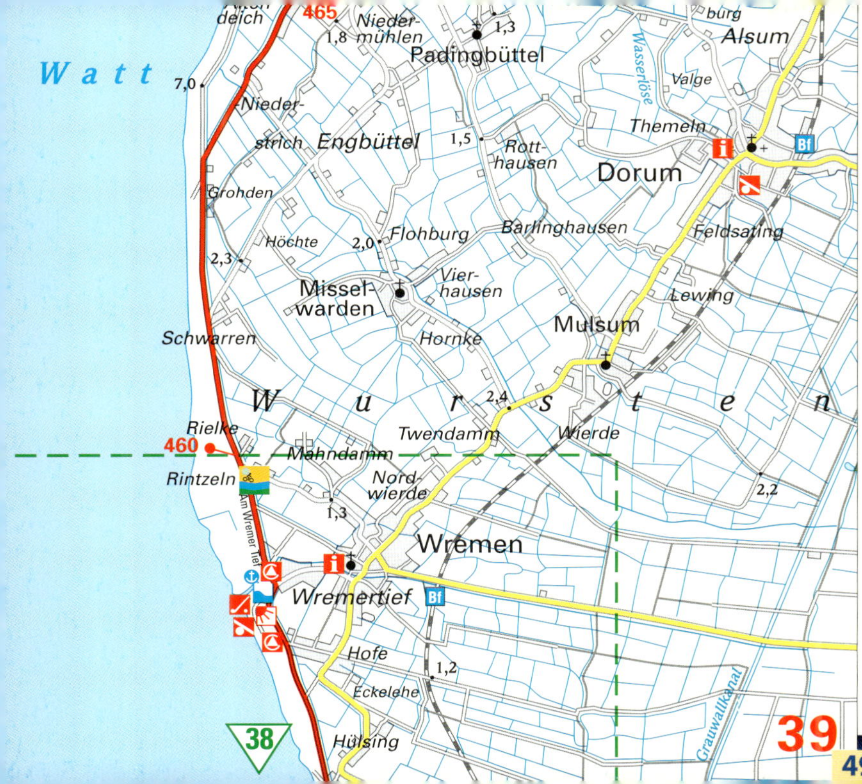

Wremen

- Kutterhafen
- Tuffsteinkirche (12. Jh.)
- Museum für Wattenfischerei
- Nationalpark Nds. Wattenmeer
- Muschelmuseum
- Leuchtturm „Kleiner Preuße"

Information

Kurverwaltung Land Wursten
Am Kutterhafen 3, 27632 Dorum
Tel. 04741-9600, Fax 04741-960141
kurverwaltung@wursterland.de
www.wursterland.de

Wremer Krabbenkutter im Hafen

Nordholz

⚑ Sehenswürdigkeiten

- AERONAUTICUM Deutsches Luftschiff- und Marinefliegermuseum
- Krabben-Schälmaschine
- KupferschmiedeTangeten

ℹ Information

Nordholz Gästezentrum

Wurster Str. 7

27637 Nordholz-Spieka

Tel. 04741-1048, Fax 04741-2033

verkehrsverein@nordholz.de

www.nordholz.de

Cuxhaven (siehe Karte 42)

⚑ Sehenswürdigkeiten

- „ahoi!" – Erlebnisbad
- Duhner Wattrennen (Pferderennen)
- Fort Kugelbake
- Schloss Ritzebüttel
- Nationalpark-Zentrum
- Wrackmuseum

ℹ Information

Cux-Tourismus GmbH

Cuxhavener Str. 92, 27476 Cuxhaven

Tel. 04721-404200, Fax 04721-404199

info@tourismus.cuxhaven.de

www.cuxhaven.de

Tourguide zum Weser-Radweg

Hann. Münden

Die Fachwerk- und Dreiflüssestadt Hann. Münden wird durch ihre Lage am Zusammenfluss von Werra und Fulda zur Weser und die waldreiche Umgebung geprägt. Über 700 Fachwerkhäuser aus sechs Jahrhunderten, Türme und Reste der Stadtmauer sowie Erinnerungen an den legendären Wanderarzt Doktor Eisenbart prägen das mittelalterliche Stadtbild.

Hier gibt es moderne, interaktive Wasserkunst und den berühmten Weserstein zu entdecken.

Gut ausgebaute Radwege garantieren Radelspaß an den drei Flüssen und entlang des Weser-Harz-Heide-Radweges. Die Radwege verlaufen in den Flusstälern auf ausgebauten, gut beschilderten Radwegen ohne nennenswerte Steigungen.

Fachwerkambiente Hann. Münden

Hann. Münden am Zusammenfluss von Werra und Fulda zur Weser

Ob Heuhotel oder 4-Sterne Komforthotel, Hausschlachtung oder Bio-Restaurant – Gastronomie und Hotellerie sind auf Radfahrer eingestellt. Die Tourist-Information bietet u.a. eine zentrale kostenfreie und schnelle Zimmervermittlung (auch im Internet unter www.hann.muenden-tourismus.de) und im Sommer täglich um 10 und 14 Uhr eine erlebnisreiche Stadtführung zu wechselnden Themen an.

Oberweser

Richtig! Die Weser gab dieser Feriengemeinde den Namen. Durchströmt von ihrem noch jungen Lauf und eingebettet in eine der schönsten Mittelgebirgslandschaften Deutschlands, bietet Oberweser mit seinen 6 Ortsteilen Arenborn, Gewissenruh, Gieselwerder, Gottstreu, Heisebeck und Oedelsheim dem Erholungssuchenden sowohl Ruhe als auch umfassende Freizeitaktivitäten: Minigolf, Walkingstrecken, Kanu- und Dampfschifffahrten auf der Weser. Gepflegte Wanderwege, ein umfangreiches Radwegenetz, Reitsport, Tennis, Hallen- und Freibad sind nur einige Beispiele der vielfältigen Möglichkeiten.

Freundliche Gastgeber sorgen in Hotels und Landgasthöfen, in Ferienwohnungen, Privathäusern und auf Bauernhöfen für Ihr Wohlbefinden.

Märchenhaftes Oberweser: Die Region hat die Gebrüder Grimm zu ihren weltbekannten Märchen inspiriert. Das Dornröschenschloss „Sababurg" mit Urwald und Tierpark, wenige Kilometer von hier im Reinhardswald gelegen, sowie die Freilichtausstellung „Der Mühlenplatz" im Ortsteil Gieselwerder, mit seinen in Miniatur nach gebauten Mühlen, Burgen Schlösser und Kirchen, verzaubert noch heute Groß und Klein. Der gestiefelte Kater ist die Märchenfigur von Oberweser-Oedelsheim, Schneewittchen und die sieben Zwerge symbolisieren Oberweser-Gieselwerder, beide Ortsteile liegen am Märchenlandweg zwischen Hann.Münden und Bad Karlshafen und sind staatlich anerkannte Luftkurorte.

Die „heile Welt", es gibt sie tatsächlich! In den preisgekrönten Fachwerkdörfern und in der herrlichen Landschaft Oberwesers wird sie erlebbar.

Blick auf die Gemeinde Oberweser

Wahlsburg

Wo die großen Waldgebiete des Reinhardswaldes, des Bramwaldes und der Naturpark Solling einen malerischen Talkessel bilden, liegt die Gemeinde Wahlsburg. Hier können Sie und Ihre Familie die Hast und den Lärm der Großstadt vergessen. Wahlsburg an der Weser hat seine enge Verbundenheit mit der unverfälschten Natur, frei von Industrie und abseits des großen Verkehrs, erhalten. Lippoldsberg an der Weser hat sich seine enge Verbundenheit mit der

unverfälschten Natur ebenfalls erhalten. Schöne, liebevoll restaurierte Fachwerkhäuser, Gasthäuser, Pensionen und Gartenwirtschaften laden zu einem erholsamen Aufenthalt ein. Es lohnt sich, auf dem ausgeschilderten, historischen Rundgang durch Lippoldsberg zu bummeln. Vorbei an der romanischen Klosterkirche (diese wurde im Jahr 2003 als „Kulturgut von nationaler Bedeutung" von der Bundesrepublik Deutschland anerkannt) und dem „Museum und Werkstatt im Schäferhaus" gelangt man zur Parkanlage mit dem Freizeit- und Leseraum.

Die flache Landschaft lädt zu einer Fahrt mit dem Fahrrad entlang der Weser ein. Lippoldsberg sowie die malerischen Dörfer sind kulturhistorisch bedeutende Ziele, die problemlos auch per Schiff erreichbar sind. Radtouristen bietet sich die Möglichkeit, diese Ziele mit dem „Drahtesel" anzufahren und zum Ausgangspunkt der Tour mit einem modernen Schiff zurückzukehren.

Museum im Schäferhaus

Blick auf Wahlsburg

Kloster

Bad Karlshafen

Die Barockstadt Bad Karlshafen wurde 1699 von Landgraf Carl zu Hessen gegründet. Weiße Häuser-Karrees mit kulturhistorisch bedeutenden Gebäuden prägen diese heitere und liebenswerte Stadt. Seit 1838 sprudelt heilkräftige Sole, die Bad Karlshafen zu einem anerkannten Heilbad werden ließ. Ein modernes Kurzentrum mit zahlreichen Therapieangeboten und das Sole-Gradierwerk stehen ganz im Zeichen von Gesundheit und Erholung. Die im südfranzösischen Stil erbaute Weser-Therme mit einer außergewöhnlichen Saunalandschaft bietet zusätzlich umfangreiche Angebote in den Bereichen Wellness, Fitness und Entspannung.

Ein ausgedehntes Rad- und Wanderwegenetz sorgt für einen erlebnisreichen Urlaub, zu dem auch die Schiffe der Weserflotte beitragen.

Blick auf Bad Karlshafen

Schifffahrt auf der Weser

Das Rathaus

Helmarshausen, Stadtteil von Bad Karlshafen, blickt auf eine über 1000jährige Vergangenheit zurück. Die ehemalige Benediktiner-Abtei war im frühen Mittelalter für ihre Malschule und Goldschmiedewerkstatt weltberühmt. Das Stadtbild wird durch Fachwerkhäuser und die romanische Krukenburg-Ruine geprägt.

Kurze Fuß- und Radwege verbinden die beiden Stadtteile.

Boffzen

Boffzen lädt mit seiner schönen Weserpromenade mit Rastplätzen, einem Dampfer- und einem Kanuanleger zum Verweilen ein. Besuchen Sie auch das Glasmuseum: es bietet mit seinen außergewöhnlichen Exponaten der Dauerausstellung interessante Einblicke in das Glasmacherhandwerk in Boffzen. Wechselnde Ausstellungen und Veranstaltungen runden das Bild ab.

Bio ist in Boffzen Programm: ein Bauernhofladen liegt direkt am Weser-Radweg. Einen Steinwurf vom Weser-Radweg entfernt liegt zwischen Boffzen und Höxter die Ölmühle Solling mit Mühlengarten und -laden.

Blick auf Schloss Fürstenberg

Kirche in Boffzen

Fürstenberg

Von Weitem grüßt auf steilem Fels das Schloss Fürstenberg. Es ist Sitz einer der ältesten Porzellanmanufakturen Europas. Zur Schlossanlage gehören das Porzellanmuseum, das Schlosscafé-Restaurant „Lottine" sowie der werkseigene Verkauf. Einmalig und sehenswert sind im Oberdorf die Windmühle, das ehemalige Brennhaus, die ersten Siedlungshäuser der Porzelliner, die Ev. Christuskirche sowie das Mittelalterdorf Bokenrode. Hier werden Erlebnisprogramme für Jung und Alt angeboten. Übernachtungen sind dort oder in Ferienwohnungen im Ort möglich.

Höxter entdecken, erleben, erfahren

Höxter, mittendrin im Weserbergland vereint malerische Fachwerkhäuser und mittelalterliche Gassen mit einer lebendigen Innenstadt. Das vielfältige gastronomische Angebot mit zahlreichen Biergärten, hochwertige Beherbergungsbetriebe sowie nicht zuletzt die zentrale Lage direkt an der Weser bietet beste Möglichkeiten für einen Aufenthalt auf Ihrer Radtour entlang der Weser.

In der historischen Altstadt erwarten Sie einige der schönsten Gebäude der Weserrenaissance mit prächtig ausgeschmückten Fassaden. Das Forum Jacob Pins im Adelshof bietet eine attraktive Mischung aus historischer Baukultur und den Werken des Künstlers Jacob Pins. In direkter Nachbarschaft zur Stadt befindet sich das Schloss Corvey. Einst eines der bedeutendsten Klöster in Europa und später Heimat des Dichters Hoffmann-von- Fallersleben. Der einzigartige Ort von Architektur, Kultur und Geschichte wird geprägt durch die barocke Abteikirche mit dem 1200-jährigen Westwerk sowie der Schlossanlage mit Kaisersaal. Die Schlossgastronomie, das Museum sowie hochklassige Konzerte und Ausstellungen runden das attraktive Angebot ab.

Ideale Voraussetzungen für einen Zwischenstopp bietet auch die Freizeitanlage Höxter-Godelheim. Genießen Sie den nahezu karibisch anmutenden Sandstrand oder entspannen Sie auf der Seeterasse der angrenzenden Gastronomie.

Als Kreuzungspunkt verschiedener Fernradwege ist Höxter zudem eine ideale Basis für Radtouren im Weserbergland und den angrenzenden Regionen. Neben dem örtlichen Radwegenetz bieten sich Tagestouren auf dem Europaradweg, dem Weser-Radweg oder der Wellnessradroute an.

Unser Tipp: Kombinieren Sie eine Radtour mit einer Dampferfahrt und erleben Sie das Weserbergland aus zwei unterschiedlichen Perspektiven.

Holzminden

Die idyllische Kreisstadt ist ein idealer Ausgangspunkt für Radwanderungen in das reizvolle Oberwesertal oder etwas anspruchsvollere Touren in den Naturpark Solling-Vogler. Viele Blickpunkte, wie z.B. alte Fährhaus oder Tillyhaus, erinnern hier an die Vergangenheit der ehemaligen Ackerbürgerstadt.

Bei einem Bummel durch die Altstadt mit den abwechslungsreichen Fachwerkfassaden und der neu ausgelegten Fußgängerzone lassen sich die vielfältigen Zeugnisse der Geschichte am besten aufspüren.

Ein Urlaubsparadies zum Radeln und Mountainbiking direkt vor den Touren Holzmindens ist der Hochsolling, das Zentrum des Naturparks Solling-Vogler.

Neuhaus im Solling und Silberborn sind von über 150 km markierten Wander- und Radwanderwegen umgeben - die unberührte Natur eignet sich auch hervorragend zum Moutainbiking.

Holzminden ist Hauptsitz des größten deutschen Duft-Geschmackstoffunternehmens und wird aus diesem Grund auch als „Stadt der Düfte und Aromen" bezeichnet. Beim duftenden Stadtrundgang werden dem Besucher 18 Duftstelen sowohl intressante Information zum jeweiligen Standort wie auch über Düfte und Aromen vermittelt.

Zahlreiche historische Gebäude, wunderschöne Grünanlagen und eine belebte Altstadt machen Holzminden zu einem echten Erlebnis!

Blick auf Holzminden

Duftstele.

Bevern

Bevern gehört zu den ältesten Siedlungen des Weserberglandes. Schon im 9. Jh. ist in den Aufzeichnungen des Klosters Corvey der Ort „Byveran" erwähnt. Bevern verfügt über eine intakte Infrastruktur und hat es dabei geschafft, seinen ursprünglichen Charakter zu erhalten.

Im Herzen des Ortes thront eines der bedeutendsten Bauwerke der Renaissance im Weserraum. Das Weserrenaissance Schloss Bevern wurde in den Jahren 1603 – 1612 nach Vorgaben des Bauherrn Statius von Münchhausen als regelmäßige Vier-Flügel-Anlage errichtet. Nach 400 Jahren Wandel u. Wirren, Verwüstung und Verfall stieg die ehemalige Residenz eines Landadeligen der Renaissance im 20. Jh. wie Phönix aus der Asche. Ein Besuch lohnt sich!

Bevern ist vom Weser-Radweg gut und schnell zu erreichen.

Weserrenaissance Schloss Bevern

Münchhausenland Bodenwerder – Fantasie, Abenteuer und Unglaubliches

Herzlich Willkommen in der Heimat des berühmten Lügenbarons von Münchhausen und des bezaubernden Aschenputtels. Hier, im Herzen des Weserberglands, hatten beide ihre Heimat.

Der Freiherr von Münchhausen, der mit seinen unglaublichen Geschichten und Abenteuern Weltruhm erlangte, erblickte wahrhaftig in der kleinen Stadt Bodenwerder an der Weser das Licht der Welt. Noch heute halten die Bürger der Münchhausenstadt ihrem wohl berühmtesten Sohn ein ehrenwertes Andenken. Neben seinem eigenen Münchhausen-Museum erzählen zahlreiche Skulpturen, Denkmäler und Wandbilder die fantastischen Erlebnisse des Fabulierers. In der über 1.000-jährigen Klosterkirche Kemnade befindet sich noch heute die Grabstätte des Barons. Begeben Sie sich auf Spurensuche und erfahren Sie wie Münchhausen zum ersten „Entertainer der Welt" wurde. Ein paar Kilometer südlich liegt der idyllische Ort Polle. Hoch über der Weser thront auf einem Bergsporn die Burgruine der Grafen von Everstein. Der grandiose Panoramablick vom Burgturm in das schöne Wesertal lädt zum Verweilen ein. Hier, zwischen den alten Mauerresten, ist Aschenputtel zu Hause. Das Mädchen aus den weltbekannten Gebrüder-Grimm-Märchen verzaubert hier in traumhafter Kulisse kleine und große Menschen.

Das Münchhausenland bietet Ihnen natürlich noch viele weitere Ferien- und Freizeitangebote, kulturelle Besonderheiten und einzigartige Veranstaltungen, die einen Besuch so attraktiv machen!

Schulenburg Münchhausenmuseum

Torbogen Polle u. Burgruine

Geburtshaus Münchhausens

Aschenputtel

Münchhausen Skulptur

Münchhausen Spiel

Rattenfängerstadt Hameln

Links und rechts der Weser, eingebettet in die sanften Hügel des Weserberglandes liegt Hameln. Zwischen Aschenputtel und Baron Münchhausen ist hier der dunkelste Geselle der Deutschen Märchenstraße zu Hause – der Rattenfänger. Mehrere Millionen Tagestouristen zieht es jährlich nach Hameln. Einmal wegen der Magie des Rattenfängers, aber auch die unvergleichliche Hamelner Altstadt mit ihren Weserrenaissance- und Fachwerkhäusern und den kleinen, geheimnisvollen Gassen sind ein wahrer Publikumsmagnet.

Viele Sehenswürdigkeiten liegen in Hameln „auf den ersten Blick" nah beieinander, sind fußläufig zu erreichen und im wahrsten Sinne des Wortes zum Anfassen. Nehmen Sie sich Zeit für einen kleinen Nostalgiespaziergang; er beschert Ihnen eine Zeitreise in das Jahr 1284, als der Rattenfänger in Hameln aufgetaucht und 130 Kinder mitgenommen haben soll. Besuchen Sie z.B. das Rattenfängerhaus, das noch heute die Inschrift zum Kinderauszug trägt oder lauschen Sie dem Rattenfänger-Glockenspiel am prächtigen Hochzeitshaus im Herzen der Hamelner Altstadt.

Das Rattenfänger-Freilichtspiel sowie das Musical „RATS", die Glasbläserei im historischen Pulverturm, eine faszinierende Ausstellung zur Rattenfängersage im Museum und eine Schifffahrt auf der Weser – all das können Sie in Hameln erleben. Zusätzlich stehen besondere Angebote unter dem Motto „Geheimnis, Magie und Verführung" auf dem Programm.

Lassen Sie sich von der geheimnisvollen und sagenumwobenen Rattenfängerstadt verführen!

Hessisch Oldendorf

Natur pur, sagenhafte Aussichten und viele Ziele für Entdecker in nächster Nähe bestimmen den Reiz von Hessisch Oldendorf im Naturpark Weserbergland.

Entdecken Sie bei einer Rad- oder Wandertour Landschaften wie aus dem Bilderbuch: Malerische Dörfer, stimmungsvolle Buchenwälder, idyllische Täler, Flussauen und hoch hinaus die Felsen des „Hohensteins", dem schönsten Naturschutzgebiet im norddeutschen Raum. Die Felsklippen des Hohensteins eröffnen einen herrlichen Ausblick in das Wesertal.

Einmalig in der Region: Im Stadtteil Langenfeld lädt Deutschlands nördlichste Tropfsteinhöhle – die Schillat Höhle – zum Besuch ein. Begeben Sie sich auf eine geologische Entdeckungsreise in die Vergangenheit – ein beeindruckendes Erlebnis für kleine und große Besucher. Mit einem gläsernen Aufzug geht es in die „Unterwelt".

Ein weiteres beliebtes Ausflugsziel ist das über 1050-jährige Stift Fischbeck mit seinen Kostbarkeiten – u.a. dem berühmten Wandteppich v. 1583 – und einem nach mittelalterlichen Vorbild angelegten Kräutergarten.

Zahlreiche Fitness- und Freizeitangebote und eine gemütliche Gastlichkeit heißen Sie herzlich willkommen!

Bullifreunde am Weserufer

Rastplatz in Großenwieden

Rinteln

Rinteln an der Weser hat Geschichte und birgt eine Fülle von Geschichten. Eine lebendige historische Stadt, die sich mit Erkern, Welschen Giebeln, Fächerrosetten, Voluten, Gesimsen und viel Fachwerk schmückt. Eine herrliche Kulisse im Weserrenaissance-Stil, die sich dank einer attraktiven Fußgängerzone noch besser genie-

Marktplatz Rinteln

Pause an der Weser

ßen lässt. Ungestörte Bummel- und Einkaufsfreuden mit Altstadt-Flair warten; in der warmen Jahreszeit plätschert hier sogar ein kleines „Bächle", wie man es aus dem deutschen Süden kennt. Sportliche oder elegante Mode, ein schöner neuer Duft oder mal ein funkelndes Schmuckstück, das Angebot ist bunt und vielfältig. Lust auf einen Cappuccino oder Espresso? Auf dem Marktplatz und in der Fußgängerzone sind die Tische eingedeckt. Kleine Cafés und Bistros locken mit süßen, aber auch herzhaften Köstlichkeiten. Auch am Abend ist der beleuchtete Marktplatz ein Blickfang und wer dann noch in die engen, schmalen Gassen der Altstadt eintaucht, erlebt Rinteln von seiner geheimnisvollen Seite.

Doch was wäre Rinteln ohne seine Weser, das Wasser und die schöne hügelige Umgebung des Weserberglandes? Und die will erobert werden, etwa mit dem Fahrrad. Rinteln liegt direkt am beliebten Weser-Radweg, der dem Fluss von der Quelle bis zur Mündung folgt. Es gibt zudem Tourenvorschläge für Radfahrer von 25 bis 54 Kilometer Länge, so dass für jeden etwas dabei ist. Schon einmal auf einem Fahrrad auf Schienen unterwegs gewesen? Dann ist Rinteln mit seiner Draisine ein guter Tipp. Auf der 18 Kilometer langen Strecke der historischen Extertalbahn geht's mit hochmodernen Rädern auf große Tour. Dazu vielleicht noch ein Picknickkorb gepackt und fertig ist ein perfekter Urlaubstag.

Vlotho

Vlotho liegt am Rande des idyllischen Weserberglandes unmittelbar am Weserufer. Eine Furt durch die Weser und der 150 m hohe Amtshausberg - hier haben sich vor vielen Jahrhunderten Fischer und Bauern angesiedelt und ihr Städtchen „Vlothowe" (Flußaue) genannt. Daraus wurde Vlotho, das im Jahre 1185 erstmals urkundlich erwähnt worden ist. Von der stolzen Höhenburg auf dem Amtshausberg, die den Fluss und ihre Stadt einstmals beherrschte, zeugt heute noch die Burgruine. Dem Gast bietet sich vom Burgplatz mit dem Burgrestaurant ein weiter Blick auf das Wesertal. In der historischen Innenstadt erinnern liebevoll restaurierte Fachwerkhäuser und stolze Bürgerhäuser verschiedener Baustile an die wechselvolle Geschichte der Stadt. Besonders sehenswert ist die historische Hammerschmiede „Gnuse" und der Naturlehrpfad Bonstapel. Im Luftkurort Vlotho hat das Gesundwerden eine lange

Blick auf Vlotho

Weser bei Vlotho

Tradition. Die ostwestfälischen „Bauernbäder" Bad Seebruch und Bad Senkelteich kümmern sich seit mehr als 125 Jahren mit großen Erfolg darum. Die Kurbetriebe verfügen über modernste Kurmitteleinrichtungen und Hallenbewegungsbäder. Der 6 Hektar große Kurpark bildet den Mittelpunkt des Kurgebietes. Das am rechten Ufer der Weser gelegene Freizeitzentrum Borlefzen mit seinen beiden Campingplätzen hat direkten Zugang zum Fluss. Badeseen, Angeln, Bootsfahrten, Surfen und Wasserski gehören zu den Freizeitangeboten. Radler sind herzlich willkommen, sie erreichen Vlotho über den beliebtesten deutschen Fernradweg, dem „Weser-Radweg".

Bad Oeynhausen

Über den Else-Werre-Radweg und der Mühlenroute erreichen Sie nach ca. 3 km die Innenstadt Bad Oeynhausen.

Die Stadt mit rd. 50.000 Einwohnern bietet viel Flair – dies liegt an den schönen alten Stadtvillen, der gemütlichen Fußgängerzone mit vielfältigen Ladengeschäften und einer gepflegten Gastronomie. Eine Besonderheit ist der wunderschöne direkt an die Fußgängerzone angrenzende Kurpark. Diese klassische Parkanlage wurde 1853 von Peter Joseph Lenné entworfen und beherbergt prächtige Gebäude, wie z.B. die säulengeschmückte Wandelhalle, das Theater im Park und das Kaiserpalais mit dem GOP Varieté Bad Oeynhausen.

Wer gerne nach einer Fahrradtour im warmen Wasser entspannen möchte, ist in der Bali Therme genau richtig: in der weitläufigen Badewelt mit warmen Thermalwasser spüren Sie die Heilkraft des Quellwassers. Daneben gibt es im Erlebnisbecken Grottenlandschaften, Wasserfälle, einen Wildwasser-Strömungskanal uvm. Lassen Sie in der Saunalandschaft, vom Dampfbad bis zur Erdsauna, so richtig die Seele baumeln.

Zu entdecken gibt es in Bad Oeynhausen viel, wie z.B. das Märchenmuseum mit den bekannten Erzählstunden, die Bonbon-Manufaktur im Sielpark, den Museumshof im Siekertal und der Wasserkrater sowie der Hochseilgarten auf dem Gelände der ehemaligen Landesgartenschau 2000, der Aqua Magica. Wer sein Glück versuchen will, geht in das Casino im Entertainment-Center neben dem modernen Einkaufszentrum Werre-Park direkt am Else-Werre-Radweg.

Vielseitige Unterhaltung sowie ein umfangreiches Kultur- und Freizeitprogramm können rund um das Jahr erlebt werden - vom Frühjahrs- und Ostermarkt, Parklichter, Weinfest, traditionellem Herbst- und Bauernmarkt bis hin zum Weihnachtsmarkt mit Eislaufbahn.

Porta Westfalica

Porta Westfalica, wörtlich das „Tor Westfalens", öffnet sich nach Süden dem Weserbergland und nach Norden der Norddeutschen Tief- ebene. Es offenbart seinen Besuchern eine einzigartige landschaftliche Schönheit. Wahrzei- chen und Sehenswürdigkeit zugleich ist das Kai- ser-Wilhelm-Denkmal, das seit nun mehr über 100 Jahren Besucher magisch anzieht. Aktivurlauber genießen den landschaftlichen Reiz und die damit verbundenen Möglichkeiten: Der „Wesertreff" am Schiffsanleger Barkhausen ist Start für zahlreiche touristische Aktivitäten; ob Ausflugsfahrten mit der Weißen Flotte zum beliebten Wasserstraßen- kreuz oder Radtouren und Wanderungen in der Porta Westfalica. Die neue Weserpromenade mit der Fahrradstation lädt aber auch einfach nur zum Verweilen ein. Genießen Sie die vielfältige Gastro- nomie direkt am Weser-Radweg oder bummeln Sie im idyllischen Kurort Hausberge.

Kaiser-Wilhelm-Denkmal

Willkommen in Minden

Machen Sie einen Abstecher in die historische Altstadt. Entdecken Sie die schönsten Plätze und Denkmäler. Die beschilderte Altstadtroute führt Sie zu wichtigen Zeugnissen der Stadtgeschichte. Wunderschöne Kaufmannshäuser aus der Zeit der Weserrenaissance, liebevoll restaurierte Fachwerkhäuser und klassische Preußenbauten aus der Festungszeit erwarten Sie. Besuchen Sie das Preußen-Museum am Simeonsplatz. Dort bekommen Sie interessante Einblicke in die westfälisch-preußische Geschichte. Im potts Freizeit park mit Science Center erleben Sie seltene, z. T. einmalige Attraktionen unter Dach und im Freien - Spaß und Erholung für die ganze Familie.

In den Sommermonaten finden attraktive Open Air Veranstaltungen statt. Am Ufer der Weserpromenade liegen der nostalgische Raddampfer „Wappen von Minden" und die einzige mahlfähige Schiffmühle Deutschlands. Auf der Route durch Minden begeg

Mindener Dom

nen Sie einer einmaligen Wasserstraßenkreuzung am Weser-Radweg gelegen, die mit ihrer Schachtschleuse ein außergewöhnliches Ensemble darstellt. Ab Frühjahr 2010 werden Sie am Wasserstraßenkreuz eine große Baumaßnahme vorfinden. Dort wird in den nächsten Jahren eine neue Schleuse gebaut. Vor Ort werden Führungen über die Baustelle angeboten. Sprechen Sie uns an, wenn Sie an einer Führung interessiert sind. Bitte beachten Sie auch vor Ort die ausgeschilderte Umleitung des Weser-Radweges. In den Sommermonaten hält die Tourist-Information Übernachtungsangebote für Radtouristen zum Sonderpreis bereit. Informieren Sie sich bei der Tourist-Information.

Wasserstraßenkreuz

Petershagen – lebendig und voller Möglichkeiten!

Im Nordosten des Kreises Minden-Lübbecke liegt die Stadt Petershagen. Stolz auf seine Geschichte erlebt Petershagen seit über 30 Jahren eine neue Renaissance. Erstmals erwähnt wurde die Stadt, als Karl der Große im Jahre 784 durch ein Hochwasser an der Überquerung der Weser gehindert wurde.

Ab in die Sommerfrische ...
Mit ihren 29 reizvollen Ortschaften erstreckt sich die ehemalige Bischofsstadt beidseits entlang der Weser. Der Fluss schlängelt sich durch grüne Auen und ländliche Idylle und berührt reizvolle Weserdörfer mit alten Fachwerkhäusern und historischen Sehenswürdigkeiten. Restaurierte Wind- und Wassermühlen mit Mahl- und Backtagen entlang der

Mühlenroute laden von April bis Oktober zum Verweilen ein. Ungewöhnliche Museen wie das Storchenmuseum Windheim, die Webstube Ilse oder die Glashütte Gernheim, historische Weserkirchen und große Naturschutzgebiete (darunter ein Feuchtgebiet von internationaler Bedeutung) bieten Besuchern einen abwechslungsreichen Aufenthalt in der „Heimat der Weißstörche".

Gut ausgebaute und ausgeschilderte Radwanderwege und Themenrouten wie die Mühlen- und Stor-

chenroute machen auf über 300 km einen Besuch inmitten einer reizvollen und ruhigen Landschaft zu einem Erlebnis. Die eigens für Radwanderer entwickelten Rundkurse sind mit dem Weser-Radweg vereint und bieten hervorragende Möglichkeiten, Land und Leute kennen zu lernen. Bei einer ausgedehnten Tour durch die Weserauen mit dem Blick auf Wiesen, Felder und Wasser die Sommerfrische genießen und die Hektik des Alltags vergessen, dazu begrüßt die Stadt Petershagen ihre Gäste.

Stolzenau

Inmitten der reizvollen Landschaft der Norddeutschen Tiefebene liegt die Gemeinde Stolzenau. Die Nähe zur Weser, die ländliche Struktur und die Sehenswürdigkeiten vor Ort laden Jahr für Jahr zahlreiche Erholungssuchende und Radwanderer ein.

Die bewegte Geschichte des Ortsteils Stolzenau, in der die Grafen von Hoya eine große Rolle spielten, spiegelt sich noch heute in der Bebauung des Ortes mit den zum Teil noch gut erhaltenen und sanierten Baudenkmälern wieder. Wer mehr wissen möchte, kann im Stolzenauer Heimatmuseum vieles aus vergangenen Zeiten erfahren. Aber nicht nur wegen seiner Geschichte ist Stolzenau einen Besuch wert, Atmosphäre und Gastlichkeit werden auch in den zahlreichen Cafés und Lokalen groß geschrieben. Wasserratten, Sport und Naturfreunde kommen hier ganz auf ihre Kosten. Beim Paddeln und Rudern auf der Weser oder beim Schwimmen im beheizten Schwimmbad können sich die kleinen und großen Wasserratten so richtig austoben. Wer es beschaulicher mag, ist auf den Schiffen der Weser-Fahrgastschiffahrt herzlich willkommen. Liebhaber von Puppen können im Puppenmuseum über 500 liebevoll restaurierte Puppen bewundern.

Von Anfang März bis Ende Dezember findet auf dem Marktplatz vor dem Rathaus an jedem Dienstag Vormittag der Wochenmarkt statt. An den zahlreichen Verkaufsständen verlocken die regionalen Erzeugnisse zum Kaufen, Verweilen und Klönen.

In der Ortschaft Schinna findet sich ein altes Benediktiner-Kloster aus dem 12. Jahrhundert. Es handelt sich hierbei um eine Anlage mit kulturhistorischer, überregionaler Bedeutung und ein erhaltenswertes Baudenkmal für das sich ein Abstecher lohnt.

Rathaus Stolzenau

St. Jacobi Kirche mit gedrehtem Kirchturm

Landesbergen

Bergfest am Weser-Radweg! Ob Sie „im Hohen Norden" oder an der „Quelle" der Weser in Hann. Münden gestartet sind – jetzt haben Sie rund die Hälfte Ihrer Weser-Radtour „geschafft" und können mit Muße die idyllische Region rund um Landesbergen erkunden. Nehmen Sie sich Zeit. Es lohnt sich, denn hier befinden Sie sich in einem wahren Radwanderparadies – mit dem Naturpark Steinhuder Meer im Osten, dem Mühlenkreis Minden-Lübbecke und der Mühlenroute im Süden, dem tiefgründigen und geheimnisvollen Großen Moor um Uchte im Westen und der Weserrenaissance-Stadt Nienburg im Norden.

Landesbergen und die umliegenden Ortschaften der Samtgemeinde entdecken Sie am besten auf der Spargel-Tour, einer Erlebnisradroute, die die touristischen Highlights miteinander verbindet. Natürlich zur Spargelzeit und im Jahreslauf finden hier zahlreiche Veranstaltungen statt (z. B. Backtage mit Kaffeetafel, Scheunenfeste, Ausstellungen und Vorführungen), zu denen Besucher herzlich eingeladen sind. Angebote wie Einkauf auf dem Bauernhof, Übernachten im Heuhotel, Ferien auf einem Ritter-gut, komfortable Zimmer in Gasthöfen und Hotels mit gepflegter Gastronomie halten die örtlichen Gastgeber ebenfalls für Sie bereit, lassen Sie sich angenehm überraschen.

Hochzeitsmühle Landesbergen

Scheunenviertel Estorf

Liebenau

In einer reizvollen und ruhigen Umgebung, am Rande der Geest mit zum Teil steil zur Weser abfallenden Hängen, liegt die Samtgemeinde Liebenau mit vielfältigen kulturellen und sportlichen Erlebnismöglichkeiten. Das Gebiet wurde maßgeblich vom Flusslauf der Weser geprägt. Die liebliche, nur leicht wellige Landschaft ist ein Paradies

Großen Aue im Ortskern von Liebenau

für Radfahrer. Durch die Samtgemeinde Liebenau führen 2 Radrundwege sowie eine mit besonderen Erläuterungen versehene Energieentdeckerroute. Informative Tafeln und eine gute Wegstreckenbeschilderung begeistern die Radwanderer. Weiterhin führt eine Alternativroute des deutschlandweit bekannten Weser-Radweges wesernah durch den Bereich der Samtgemeinde. Besonders sehenswert sind die Kirchen in den Gemeinden Liebenau, Binnen, und Bühren. In der Gemarkung Liebenau an der Grenze zum Flecken Steyerberg befindet sich ein aus archäologischer Sicht sehr bedeutendes Altsachsengräberfeld mit einer Sachsenhütte. Regelmäßige Gästeführungen finden statt. Exponate (Grabbeigaben) sind im Nienburger Regionalmuseum zu besichtigen.

Eine weitere landschaftliche Besonderheit ist die in der Eiszeit entstandene "Binner Schlucht", eine vom Geestrand zur Weser abfallende Erosionsrinne. Ausgedehnte Nadel- und Laubwälder laden aber auch auf ausgeschilderten Wanderwegen zu erlebnisreichen Spaziergängen in reizvoller Umgebung ein.

In Liebenau verweilt der Gast in einem der Hotels, Gaststätten oder Cafe´s, um sich kulinarisch mit Speisen aus der Region oder der internationalen Küche verwöhnen zu lassen.

Ortskern des Fleckens Liebenau

topographischen Gründen nicht immer unmittelbar an der Weser entlang - sozusagen mit Sichtkontakt - geführt werden. In den „Verschnaufpausen" sollten Sie sich Zeit nehmen für die Städte und Orte mit ihren besonders reizvollen Fachwerkhäusern, den gut erhaltenen historischen Innenstädten und den vielen kulturellen Highlights.

Zahlreiche Binnenschiffe begleiten den Radtouristen auf dem Weg in Richtung Norden zu den Seehäfen an der Weser. Sieben Schleusen müssen die Schiffe passieren, bevor die Hanse- und Hafenstadt Bremen erreicht wird. Rathaus, Marktplatz, Schnoor und Böttcherstraße – sie alle sind Ausdruck einer wirtschaftlichen und politischen Entwicklung, die ohne die Weser als Lebensader der Region nicht stattgefunden hätte.

Information:
WeserKontor
Teerhof 34, 28199 Bremen
Tel. 0421-5980800, Fax 0421-5980802
vertrieb@weserkontor.de, www.weser-radweg.de

Auf der Fahrt in Richtung Nordsee führt der Weg entlang der Unterweser durch eine maritim geprägte Marschenlandschaft, in der es nach Wasser und Meer riecht. Spätestens in Bremerhaven kommen dann die Radtouristen nicht mehr aus dem Staunen heraus: die größten Containerschiffe der Welt mit einer Länge von über 400 Metern und mehr als 12.000 Containern Ladung laufen den Containerterminal Bremerhaven an. Schwimmende „Hochhaus-Garagen" transportieren jährlich Millionen von Autos. Mit Klimahaus, Schifffahrtsmuseum und Auswandererhaus sowie zahlreichen Traditionsschiffen bietet Bremerhaven ein einmaliges maritimes Ambiente.

Zum Abschluss Ihrer Entdeckungsreise entlang der Weser können Sie dann die attraktiven Küstenbadeorte auf dem westlichen oder östlichen Ufer der Weser besuchen. Gönnen Sie sich einfach noch ein paar Tage Nordseeurlaub!

Wir wünschen Ihnen viel Spaß, tolle Erlebnisse, Erholung und natürlich auch gutes Wetter bei Ihrer Reise entlang des größten deutschen Flusses.

„RADgeber" zum Weser-Radweg

Die offizielle Karte zum Weser-Radweg wird ergänzt durch den „RADgeber" zum Weser-Radweg, der als aktueller Reisebegleiter jeweils zu Beginn eines Jahres erscheint. Der „RADgeber" informiert u.a. ausführlich über:

- Übernachtungsmöglichkeiten in besonders radfahrerfreundlichen Hotels, Pensionen, Ferienwohnungen und bei Privatvermietern
- Campingplätze + Jugendherbergen
- Kulturelle Highlights + Veranstaltungen
- Exkursionen vom Weser-Radweg
- Pauschalangebote + Personenschifffahrt
- Streckenänderungen + Erste-Hilfe-Stationen + Fähren über die Weser

Der RADgeber ist zum Preis von € 4,95 (zzgl. Versandkosten € 2,50) zu beziehen beim WeserKontor, Teerhof 34, 28199 Bremen, Tel. 0421-5980800, Fax 0421-5980802, Bestellung im Internet: www.weser-radweg.de

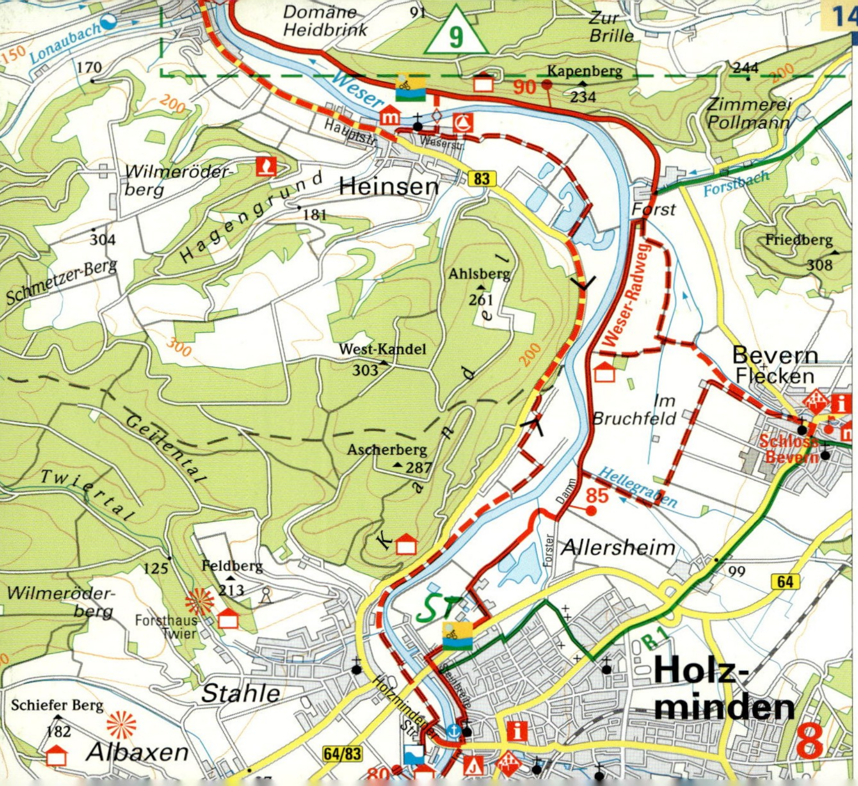

Holzminden

Sehenswürdigkeiten

- Marktplatz
- Duftrundgang
- Glocken- und Figurenspiel
- Wildpark/Waldmuseum
- Hochmoor Mecklenbruch

Information

Stadttourismus Holzminden

Markt 2, 37603 Holzminden

Tel. 05531-8138945, Fax 05531-8138947

touristik-info@holzminden.de

www.holzminden.de

Weitere Informationen auf Seite 59

Bevern

Sehenswürdigkeiten

- Historischer Ortskern
- Weserrenaissanceschloss Bevern
- Alter Amtshof Forst
- Kloster Amelungsborn
- Schlossführungen
- Nächtliches Schloss erleben
- Sagen-Nacht im Schloss
- Museum, Ausstellungen u. Konzerte im Schloss

Information

Tourist-Information

Schloss 1, 37639 Bevern

Tel. 05531-990785, Fax 05531-990786

tourismus-bevern@t-online.de

www.bevern.de

www.schloss-bevern.de

Weitere Informationen auf Seite 60

Landesbergen

Sehenswürdigkeiten

- Anleger Landesbergen
- Historischer Mühlenplatz
- Hochzeitsmühle
- Münchhausen-Schloss
- Bickbeernhof Brokeloh
- Husumer Jacobi-Kirche
- Estorfer Scheunenviertel
- Kirche u. Ziehbrunnen in Leese

Rittergut Brokeloh bei Landesbergen

Information

Samtgemeinde Landesbergen, Rathaus

Hinter den Höfen 13, 31628 Landesbergen,
Tel. 05025-98080, Fax 05025-980870
info@landesbergen.de
www.landesbergen.de

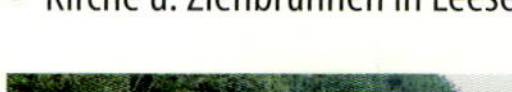

Aalschokker auf der Weser bei Landesbergen

Weitere Informationen auf Seite 72

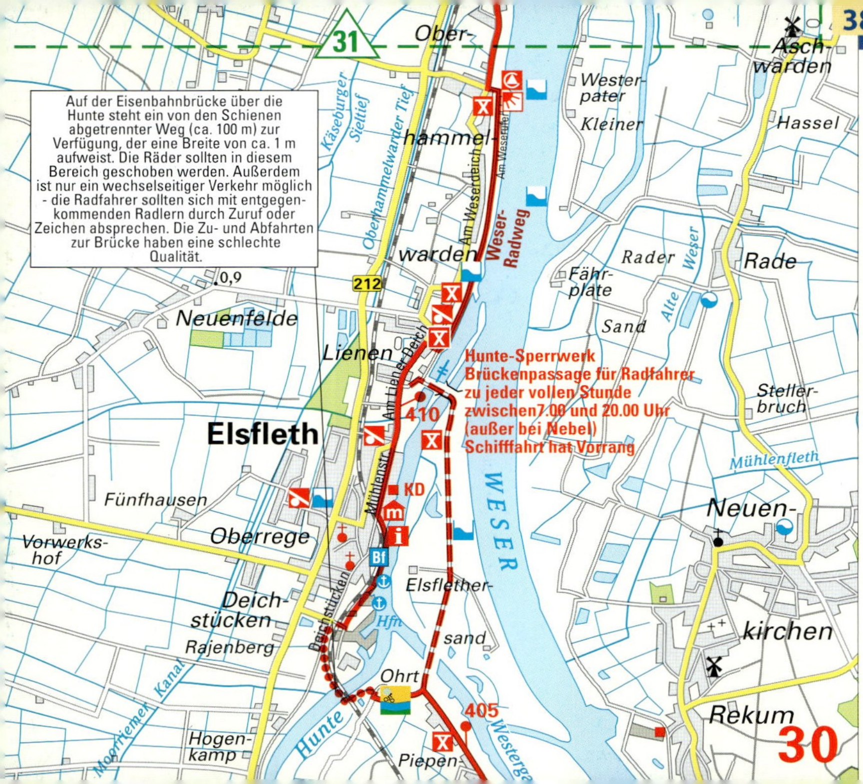

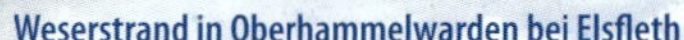

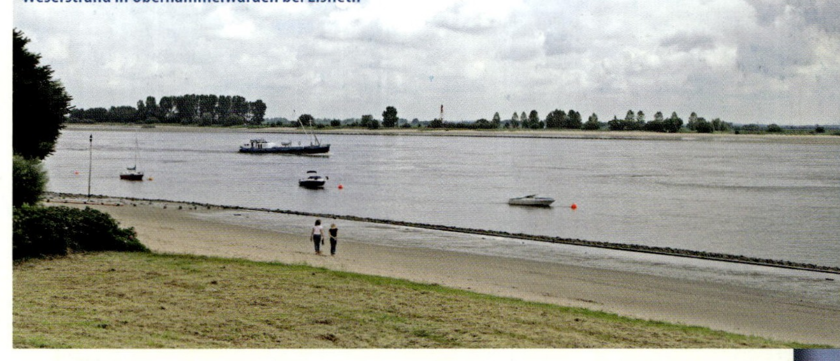

Auf der Eisenbahnbrücke über die Hunte steht ein von den Schienen abgetrennter Weg (ca. 100 m) zur Verfügung, der eine Breite von ca. 1 m aufweist. Die Räder sollten in diesem Bereich geschoben werden. Außerdem ist nur ein wechselseitiger Verkehr möglich - die Radfahrer sollten sich mit entgegen-kommenden Radlern durch Zuruf oder Zeichen absprechen. Die Zu- und Abfahrten zur Brücke haben eine schlechte Qualität.
Hunte-Sperrwerk
Brückenpassage für Radfahrer zu jeder vollen Stunde zwischen 7.00 und 20.00 Uhr (außer bei Nebel)
Schifffahrt hat Vorrang
31
38
30
Ober-hammel-warden
Asch-warden
Wester-pater
Kleiner
Hassel
Käseburger Sieltief
Oberhammelwarder Tief
Am Weserdeich
Am Weserdeich
Weser-Radweg
Rader
Weser
Rade
Fähr-plate
Sand
Alte Weser
212
0,9
Neuenfelde
Lienen
Am Lienen Deich
410
Steller-bruch
Elsfleth
Mühlenfleth
Mühlenstr.
KD
WESER
Fünfhausen
Neuen-kirchen
Vorwerks-hof
Oberrege
Bf
Elsflether-sand
Deich-stücken
Deichstücken
Hfn
Rajenberg
Ohrt
405
Moorriemer Kanal
Hunte
Rekum
Hogen-kamp
Piepen-
Westergate

Weserstrand in Oberhammelwarden bei Elsfleth

Elsfleth

Sehenswürdigkeiten

- „Großherzogin Elisabeth“
- St. Nicolai Kirche, Seefahrerbrunnen
- Schiffahrtsmuseum „Haus Elsfleth“
- Reiterdenkmal
- Planetarium, Kompetenzzentrum
- Huntesperrwerk, Sportboothafen
- Weserinsel „Elsflether Sand“
- Naturschutzgeb. „Gellener Torfmöörte“

Information

Touristik-Information

An der Kaje 1a, 26931 Elsfleth

Tel. 04404-989081, Fax 04404-989082

info@elsfleth-tourismus.de

www.elsfleth-tourismus.de

Weitere Informationen auf Seite 88

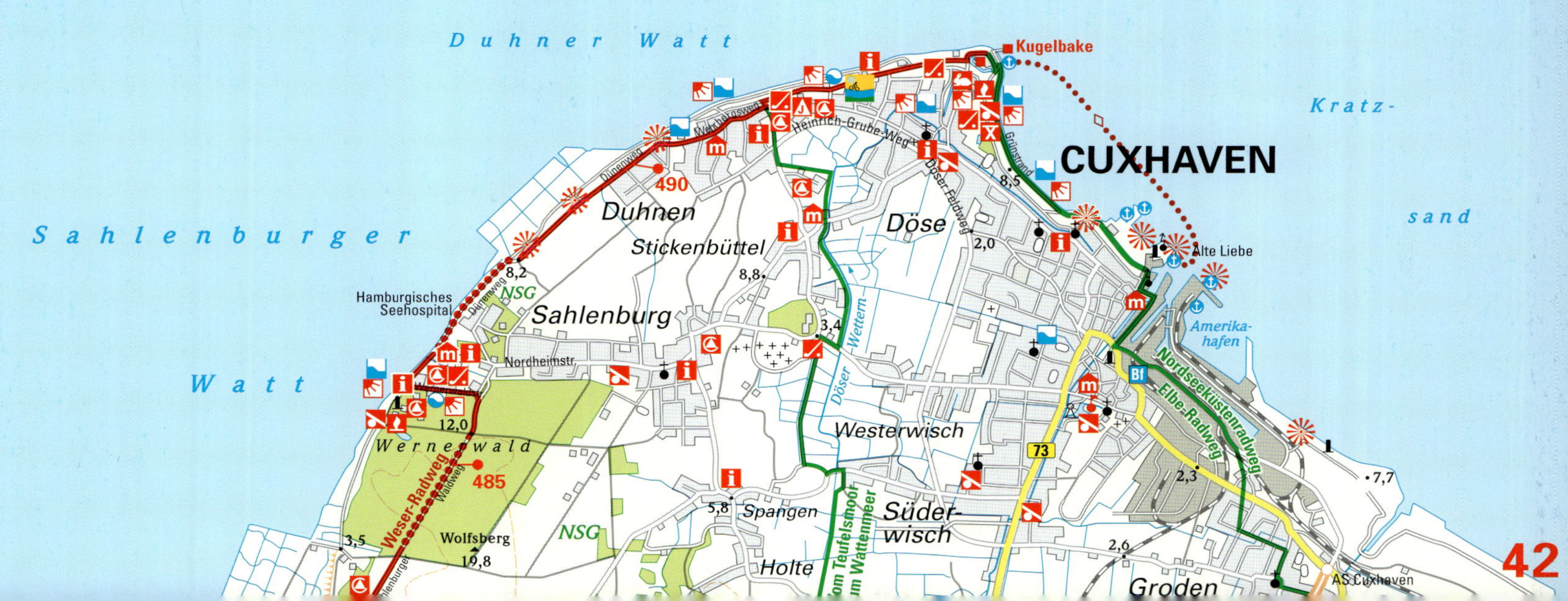

50
Duhner Watt
Kugelbake
Kratz-
sand
CUXHAVEN
Sahlenburger
Watt
490
Duhnen
Stickenbüttel
8,8
Döse
2,0
Alte Liebe
8,2
8,5
Hamburgisches
Seehospital
NSG
Sahlenburg
Amerika-
hafen
Nordheimstr.
3,4
Bf
Döser Feldweg
Döser-Wettern
Heinrich-Grube-Weg
Wernerswald
12,0
485
Weser-Radweg
Waldweg
Westerwisch
Nordseeküstenradweg
Elbe-Radweg
73
2,3
7,7
3,5
Wolfsberg
19,8
NSG
5,8
Spangen
Süder-
wisch
Holte
Vom Teufelsmoor
zum Wattenmeer
2,6
42
Groden
AS Cuxhaven

Emmerthal

Mitten im Weserbergland – eine Oase für Ruhe und Erholung von der Hetze des Alltags! Emmerthal ist ein idealer Mittelpunkt für einen ruhigen und auch abwechslungsreichen Urlaub. Natur genießen in der Mitte des Dreiecks der historischen Städte Hameln, Bodenwerder und Bad Pyrmont.

Museum für Landtechnik und Landarbeit in Börry

Gierseilfähre Grohnde

Landschaftlich besteht Emmerthal längst nicht nur aus dem „T(h)al der Emmer". Bewaldete Bergrücken und auch die Talbereiche der Weser und Ilse geben der Gemeinde ihr Gepräge. Inmitten der idyllischen Landschaft des Emmertales liegt das Schloss Hämelschenburg mit seinen Kunstsammlungen, Gartenanlagen, Wirtschaftsgebäuden, der Mühle, der Kirche und dem Schloss, das als Hauptwerk der Weserrenaissance gilt und eines der schönsten Schlösser Norddeutschlands ist. Zu erreichen ist Schloss Hämelschenburg für Radwanderer über einen kleinen Abstecher von Hagenohsen aus auf dem Emmerradweg.

Ein ebenso interessanter Abstecher für Radwanderer auf dem Weser-Radweg führt über Hajen - Kirche aus dem 13. Jahrhundert, ausgemalt im Stil der Renaissance - und Frenke mit seinen „Heimatstuben" nach Börry, wo das Museum für Landtechnik und Landarbeit zu einem Rundgang durch die

Kirche in Börry

Schloss Hämelschenburg

Geschichte der Landwirtschaft einlädt.

Der für seinen urwüchsigen Charakter bekannte Ohrbergpark (an der B 83 in Richtung Hameln gelegen) mit seinen Azaleen-, Rhododendron- und exotischen Baumgruppen ist ein extensiv gepflegter Landschaftsgarten im englischen Stil.

Die Schiffsanleger in Hagenohsen und am Grohnder Fährhaus laden ein, dem Fahrrad mal eine Pause zu gönnen. Von hier aus bietet die Flotte Weser regelmäßig Linien- und auch Sonderfahrten an. Wer auch auf der Weser aktiv sein möchte, kann sich in Grohnde ein Kanu mieten.

Nienburg

Kreisstadt und kulturelles Zentrum der Mittelweser-Region mit ca. 33.000 Einwohnern. Eine 1000jährige Geschichte prägt heute das Gesicht der Stadt. Das Rathaus (14. Jh.) ziert ein Stufengiebel mit Muschelkrönungen aus der Epoche der Weserrenaissance. Das Wahrzeichen der Stadt, die Pfarrkirche St. Martin (15. Jh.) birgt wertvolle Kunstschätze. Beim Altstadtrundgang mit großzügigen Fußgängerbereichen und geschichtsträchtigen Gassen gibt es viel zu entdecken. Liebevoll restaurierte Fachwerkgebäude, ehemalige Burgmannshöfe wie der Posthof, der Hakenhof oder der Fresenhof (Museum), Ackerbürger- oder Patrizierhäuser zeugen von der Geschichte Nienburgs und laden ein zum Verweilen. Die Bärentatze im Wappen der Stadt weist auf die Bedeutung der Grafen von Hoya in der Stadtgeschichte hin. Die Tatze dient auch als Vorlage für das gleichnamige Biskuit-Gebäck. Aufgemalte Bärentatzen führen zu 28 Sehenswürdigkeiten

Europas schönster Wochenmarkt und Pfarrkirche St. Martin

Weserstraße in Nienburg

in der Altstadt. Nienburg hält noch weitere Überraschungen bereit, so führen große touristische Straßen in die Stadt wie die Deutsche Märchenstraße, die Deutsche Fachwerkstraße, die Niedersächsische Mühlenstraße, die Straße der Weserrenaissance sowie die Niedersächsische Spargelstraße.

Die Stadt und die Landschaft der Mittelweser bieten auf einem 3000 km langen ausgeschilderten Radwegenetz ideale Voraussetzungen für naturverbundenes Radeln.

Veranstaltungen: Scheibenschießen mit Pellkartoffelessen (Juni) an einer 500 m langen Tafel mitten in der Altstadt, Theaterfest (August), Altstadtfest im September, Europas schönster Wochenmarkt (ganzjährig Mi. + Sa. 8 bis 13 Uhr).

Das Universum Bremen (©Universum/2000)

Die Schlachte

Innovativ

Wie entsteht ein Tornado? Warum duften Blüten? Was ist ein schwarzer Raucher? Die Wissenswelten im Universum Bremen, der botanika und im Übersee-museum vermitteln Wissen zum Anfassen. Und bei EADS Astrium erleben Besucher, wie Astronauten im Weltraum essen, schlafen und duschen. Wirtschaft und Wissenschaft – in Bremen bilden sie ein zugkräf-tiges Tandem – sowie Forschung und unternehmeri-sche Praxis sind hier eng miteinander verzahnt. Doch die Hansestadt ist auch im wahrsten Wortsinn in aller Munde: Bier und Schokolade, Kaffee und Cornflakes, Tee und Tabak – in jeder Küche findet sich ein Stück Bremen. Jede zweite Tasse Kaffee, die in Deutsch-land getrunken wird, kommt über Bremen ins Land, und hier wird eines der weltweit bekanntesten Biere gebraut. Die weite Welt des Genießens ist in Bremen zu Hause, und die großen Marken auch.

Lebendig

In Bremen findet jeder seine Bühne: Mutige Artisten, anmutige Tänzerinnen, populäre Popstars, wissbegie-rige Wissenschaftler. Deutschlands ältestes Volksfest, der Freimarkt, das Musikfest, das Festival Maritim, Deutschlands größtes 6-Tage-Rennen, Musical- und Theaterhighlights, bedeutende Kunst-Ausstellungen, der traditionelle Weihnachtsmarkt mit Schlachte-Zauber an der Weserpromenade ... die Hansestadt an der Weser steckt voller Leben und Erlebnisse!

Marklohe

Die Samtgemeinde Marklohe mit ihren rund 8.500 Einwohnern in den drei Mitgliedsgemeinden Balge, Marklohe und Wietzen liegt in einer leicht gewellten Geestlandschaft. Der Weser-Radweg sowie andere gut ausgebaute Radwanderwege laden zum Fahrradfahren ein. Daneben bieten sich im Sommer Besuche in den familiären Freibädern in Marklohe und Wietzen sowie der herrlich gelegenen Freilichtbühne in Marklohe an, auf der plattdeutsche Theaterstücke der Heimatspiele aufgeführt werden. Auch die liebevoll restaurierten Deckenmalereien aus dem 12. Jahrhundert in der St. Clemens Kirche Marklohe ziehen jährlich viele Besucher in ihren Bann. In Wietzen lohnt sich ein Besuch der Heimatstube am alten Schulgebäude. Neben dem Moorbad Blenhorst ist auch eine Besichtigung der dortigen Wassermühle immer ein lohnendes Ziel.

Heemsen

Die Samtgemeinde Heemsen mit ihren rund 6.200 Einwohnern in den vier Mitgliedsgemeinden Drakenburg, Haßbergen, Heemsen und Rohrsen liegt in einem landschaftlich reizvollen Gebiet, das durch den Kontrast von Marschlandschaft der Weseraue im Westen und zum Teil bewaldeten Flächen auf der etwas höher gelegenen Geest im Osten gekennzeichnet ist. Ein interessanter Abstecher für Radfahrer ist der historische Ortskern im Altdorf des Fleckens Drakenburg mit dem Renaissance-Torbogen zum Gutshof Benecke und die Johannis-der-Täufer-Kirche als eine der ältesten Kirchen der Mittelweser-Region.

Im Heimatmuseum „Ole Schüne" erwarten den Besucher jeden zweiten Sonntag im Monat Ausstellungen sowie Kaffee und Kuchen. Interessenten bietet der Heimatverein unter Tel. 05024/1484 Ortsführungen an. In der Gemeinde Rohrsen besteht die Möglichkeit, ein Spargeldiplom zu erlangen (Tel. 05024/1236).

Aalschokker

Weserrenaissance-Torbogen

Samtgemeinde Grafschaft Hoya

Ursprünglich, abwechslungsreich, radlerfreundlich..., das ist die Samtgemeinde Grafschaft Hoya, der geographische Mittelpunkt Niedersachsens. Hier erwartet Sie ein „sagenhaftes" Radwanderparadies, das Eldorado für begeisterte Radfahrer und die, die es werden wollen.

Ursprüngliche Dorfkulturen verschmelzen mit abwechslungsreicher Naturlandschaft. Ausgedehnte Waldgebiete, idyllische Bachläufe und viel weites Land prägen die Grafschaft.

In Schweringen besteht die Möglichkeit, mit der einzigen Fähre an der Mittelweser über die Weser zu setzen.

Auf der Weiterfahrt grüßen von Ferne die beiden Türme der Stiftskirche Bücken. In der Kirche befinden sich bedeutende sakrale Kunstschätze. Die Bronzeplastik „Esel und Mönch" auf dem benachbarten Marktplatz gibt Aufschluss über die Gründungslegende des Stiftes im Jahre 882.

In Hoya schlängelt sich die Weser mitten durch die alte Grafenstadt. Der ältere Stadtteil befindet sich auf der rechten Weserseite, wo sich das Heimatmuseum und das Sportinstitut mit wechselnden Ausstellungen präsentieren. Ferner sind hier die alte Pfarrkirche St. Martins, das heutige Kulturzentrum, und die ehemalige Burg zu finden. Zu einem längeren Aufenthalt laden die vorhandenen Freizeit-, Sport- und Erholungseinrichtungen und das gut ausgeschilderte nach Sagen benannte Radwegenetz durch die Umgebung ein.

Nördlich von Hoya schließt sich die Gemeinde Hilgermissen mit ihren ursprünglichen Dorfstrukturen, alten Fachwerkhäusern und idyllischen Kolken an. Besonders lohnenswert ist ein Ausflug zum Alveser See, einem Altarm der Weser.

Samtgemeinde Eystrup

Die Samtgemeinde Eystrup liegt im Herzen der Mittelweser Region, genau im Weser-Aller-Dreieck. Von hier aus können Sie Ihre Radwandertouren starten. Eystrup ist ideal mit der Bahn zu erreichen. Durch die Verkehrsanbindung der Deutschen Bahn ist es jederzeit möglich, sich auf den Weg Richtung Bremen oder Hannover bzw. Minden oder Rotenburg zu machen.

Von Mai bis Oktober verkehrt an manchen Sonntagen der Kaffkieker von Eystrup über Bruchhausen-Vilsen bis nach Syke. Ein gut beschildertes, ausgebautes Radwandernetz ist in den letzten Jahren rund um Eystrup entstanden. Mit dem Fahrrad können Sie abseits auf Wirtschaftswegen durch Marsch-, Geest-, Heide- und Moorlandschaften fahren oder auch entlang der Weser über Hoya nach Verden oder Nienburg radeln. Die wohl bekanntesten Radwandertouren in der Samtgemeinde Eystrup sind die „Achter-Tour" und die „Landpartie".

Turmholländermühle mit Galerie und Steert

Ihrem Weg und lädt zum Verweilen ein. Ein Höhepunkt Ihrer Radtour wäre sicherlich eine Überquerung der Weser zwischen Schweringen und Gandesbergen mit der einzigen in der Mittelweserregion verbliebenen Weserfähre.

Auf Anfrage werden Führungen in der Turmholländermühle „Margarethe" durchgeführt.

Historischer Triebwagen „Kaffkieker"

Ein besonderes Naturschauspiel bietet die Lerchenspornblüte von April bis Mai in der Alhuser Ahe in Hassel (Weser). Wenn Sie der AchterTour von Eystrup nach Hoya folgen, liegt die Alhuser Ahe auf

Dörverden

Die Gemeinde Dörverden bietet dem Radtouristen und Erholungssuchenden eine Fülle von Eindrücken. Dörverden liegt südlich der Kreisstadt Verden zwischen den beiden Flüssen Weser und Aller und verfügt über gut ausgebaute und ausgeschilderte Rad- und Wanderwege. Anbindungen an den Weser- Radweg und Aller- Fernradweg sowie viele Rundstrecken und Themenradwege schaffen vielfältige Möglichkeiten die Gemeinde Dörverden zu „erfahren". Dörverden ist eine fahrradfreundliche Gemeinde, die man aber nicht nur gut per Pedes erreicht, sondern auch über die nahe gelegene BAB A27 und einer Direktanbindung der Bahn.

Neben einer interessanten und abwechslungsreichen Landschaft zählt dieser Bereich auch zu einer bedeutsamen Spargelregion in Niedersachsen. Zur Spargelsaison bieten die Dörverdener Gastronomen leckere und feldfrische Spargelgerichte der Region. In den Ortschaften der Gemeinde finden sich viele ortstypische Sehenswürdigkeiten, die jeder der 10 Ortschaften ihr eigenes charakteristisches Bild verleihen. Neben Kirchen und Galeriewindmühlen findet man in der Gemeinde Dörverden ein noch in Betrieb befindliches Laufwasserkraftwerk, welches seit 1914 Strom aus der Wasserkraft der Weser gewinnt. Für den Radfahrer bietet das mit dem Kraftwerk verbundene Weserwehr in den Monaten März bis Oktober die Möglichkeit der Weserüberquerung, welche bei geöffneten Wehrklappen sehr beeindruckend ist. Von dort aus hat man einen schönen Panoramablick auf die Ortschaft Dörverden. Ein absolut lohnendes Ziel und eine in Europa einzigartige Attraktion bietet ab April 2010 das in Dörverden angesiedelte WOLFCENTER. Es widmet sich ausschließlich dem Thema Caniden, in dem der Wolf die Hauptrolle spielt.

Verden

Wenn Sie Weser abwärtsfahrend Verden erreichen und das Panorama der Stadt vom Deich erblicken, die Pferde friedlich grasend auf den Allerwiesen, bekommen Sie einen ersten Eindruck der über 1000 jährigen Stadt. Der alles überragende Dom prägt nicht nur aus der Ferne das Stadtbild.

Zwei Holz- und zwei Steinkirchen gingen ihm voraus und wurde in den Jahren 1290 bis 1490 nach dem Vorbild der Kathedralen von Reims und Minden errichtet. Der Hallenumgangschor gilt als der älteste auf deutschem Boden und wurde weisend für andere Sakralbauten. 1737 wurde durch einen Sturm der Helm des Turmes abgerissen und erhielt sein auch heute noch charakteristisches Zeltdach.

Neben dem sehenswerten Kreuzgang, Grabmälern, Levitenstuhl und Taufstein sollte man einen Besuch des „Steinernen Mannes" nicht vergessen.

Von Mai bis September locken die Sommerkon-

Blick auf Verden

Vor dem Rathaus

Fußgängerzone

zerte jeden Donnerstag Gäste aus nah und fern in den Dom. Zu seinen Füßen finden sie eine Kleinstadt, in der es viel zu entdecken gibt. Versäumen sollten Sie auf keinen Fall das Deutsche Pferdemuseum, welches neben den berühmten Hannoveraner-Pferden zum Ruf der Reiterstadt beiträgt. Es gibt einen faszinierenden Überblick über die Geschichte des Menschen mit dem Pferd, der Geschichte des Pferdesports und der Pferdezucht.

Haben Sie sich schon einmal wie ein Elefantenjäger vor 120.000 Jahren gefühlt? Im Domherrenhaus – Historisches Museum erfahren Sie es.

Der Weser-Radweg Richtung Norden führt Sie am Sachsenhain, eine Anlage aus den 30er Jahren des 20. Jahrhunderts, errichtet zur Erinnerung an das Verdener Blutgericht Karl des Großen, und an der Storchenpflegestation vorbei.

Flecken Langwedel

Geschichte und Lage des Weser-Fleckens Langwedel (14.700 Einw.) sind geprägt durch die historische Verbindung zwischen Verden (Aller) und Bremen. Der Übergangsbereich mit seinen Hangkanten zwischen Wesermarsch und Geest gehört zu den schönsten Aussichtspunkten.

An Wochenenden und Feiertagen verbindet die Personen- und Radfähre „Gentsiet" den Flecken Langwedel von Mai bis Oktober mit der Samtgemeinde Thedinghausen über die Weser. Radtouristische Anbindungen sind hier gegeben. Auf Weser und Alter Aller sind Paddeltouren möglich. Die Fahrgastreederei „Flotte Weser" hat eine Schiffsanlegestelle im Weser-Kanal eingerichtet.

Die Landschaft ist vielfältig und eignet sich gut für Wander-, Rad- und Kutschtouren. Der Radweg „Langwedel erFAHREN", der Wanderweg "Zwischen Schloss und Burg" und der „Langwedeler Kutschweg" berühren alle interessanten Punkte der Gemeinde.

Zahlreiche Sehenswürdigkeiten und Freizeitmöglichkeiten machen Langwedel zum beliebten Ziel: Freilichtbühnen in Daverden und Holtebüttel, Schloss u. Schlosspark in Etelsen. Auch Windmühle, Greifvogelstation, Campingplatz, Burgbad, Sternwarte, Hofläden, Grillplatz, Reiterbetriebe und Schäferei lohnen einen Besuch.

Direkt an der alten Handelsstraße gelegen, ist der Weser-Flecken gut erreichbar: Die Städte Verden (Aller), Achim und Bremen sind bequem und schnell auch mit öffentlichen Verkehrsmitteln zu erreichen.

Als besondere Spezialität und Mitbringsel gilt der „Langwedeler Böller". Das kugelrunde Dinkel-Vollkornbrot entspricht in Form u. Gewicht den Kanonenkugeln der ehem. Langwedeler Bischofsburg und setzt die mittelalterliche, handwerkliche Backtradition fort.

Weserfähre „Gentsiet"

Achim

Achim liegt mit wunderschöner Marschlandschaft direkt an der Weser und somit auch mit der gesamten Länge am Weser-Radweg. Die Stadt bildet das nördliche Tor zur Mittelweser-Region und grenzt unmittelbar an den südöstlichen Stadtrand von Bremen.

Ob auf der Liebestour durch Stadt und Land oder auf den Spuren der Stadtmusikanten oder durch Achimer Höhen und Tiefen – zahlreich ausgeschilderte Rad- und Wandertouren laden Naturliebhaber und Sportbegeisterte „Mit Fahrrad und Schnürschuh" ein.

An die einstige Honigkuchen- und Zigarrenmacherstadt erinnern heute die schmucke Fassade von „Riekes Honigkuchenfabrik" und die Zigarrenmacherstube im Rathaus. Das älteste Bauwerk der Stadt, die St. Laurentius-Kirche von 1257, und das Clüverhaus, ein niedersächsisches Zweiständerhaus mit alter Hofanlage, liegen idyllisch im alten Bau-

Achims Innenstadt – historisch und modern

ernviertel Achims. Das Wahrzeichen der Stadt ist die Achimer Windmühle, eine 1761 erbaute „Holländer-Galerie-Windmühle" mit reetgedecktem Turm.

Zahlreiche Skulpturen, Denkmäler und Brunnen laden zu einem Rundgang „durch die Kunst" in die Innenstadt ein. Das Achimer Glockenspiel auf dem Bibliotheksplatz in der Fußgängerzone ist eines der größten in Norddeutschland. Ein beliebtes Ausflugsziel seit dem 19. Jh. sind die Badener Berge mit einer beeindruckenden Sicht über das Wesertal. Das Haus Hünenburg, eine alte herrschaftliche Jugendstilvilla, liegt inmitten einer heute noch weitgehend erhaltenen historischen Ringwallanlage aus dem 11. Jahrhundert.

Schmucke Fassade – Riekes Honigkuchenfabrik

Tipp: Spannende und schaurige Geschichten erfahren Sie bei einer der interessanten Stadtführungen, wie zum Beispiel „Honigkuchen und Zigarren", Nachtwächter- oder Gruselführung.

Samtgemeinde Thedinghausen

Kirche zu Thedinghausen

Die 152 qkm große Samtgemeinde Thedinghausen mit ihren Mitgliedsgemeinden Blender, Emtinghausen, Riede und Thedinghausen liegt in der Wesermarsch ca. 25 km südöstlich von Bremen. Die ländlich geprägte und stetig wachsende Samtgemeinde zählt heute 15.000 Einwohner und eignet sich durch das sehr gut ausgebaute Radwegenetz und zahlreiche befestigte Wirtschaftswege hervorragend zum Radfahren und Wandern. Besonders im Frühjahr, zur Raps- und Weißdornblüte, zeigt sich der besondere Reiz der Wesermarschlandschaft. Ein interessanter Abstecher für Radfahrer ist die Besichtigung des direkt am Weser-Radweg gelegenen Schlosses Erbhof Thedinghausen aus dem Jahre 1620 im Stil der ausklingenden Weserrenaissance mit seinem einzigartigen Baumpark. Fast 300 Jahre gehörte das Amt Thedinghausen zu Braunschweig. An vielen Orten sind noch Spuren aus dieser Zeit sichtbar. Empfehlenswert ist auch ein Rundgang auf der ausgeschilderten „Thänhuser Löwenspur", die am historischen Rathaus mit achteckigem Taubenturm beginnt.

Für die Rast stehen Ihnen schön gelegene Cafés und ausgezeichnete Gastronomiebetriebe zur Verfügung, die je nach Jahreszeit auch Kohl- und Pinkel-, Spargel-, Aal- und Matjesessen anbieten. Nutzen Sie unterwegs auch die Angebote wie Einkaufen auf dem Bauernhof, Probieren Sie das Bauernhofeis in Intschede, Übernachten Sie in den komfortablen Zimmern der Gasthöfe und Hotels oder bei den zahlreichen Privatvermietern vor Ort.

Schloss Erbhof Thedinghausen

Weyhe

Weyhe ist der Gemeindenamen für die Ortsteile Ahausen und Dreye am Weser-Radweg gelegen, sowie für Sudweyhe, Kirchweyhe und Leeste, durch die die Radfernwege „Geestweg" und „Bremen-Bad Oeynhausen" führen. Verschiedene Tages- und Mehrtagesrouten bieten vielfältige Möglichkeiten für Radfahrer. Weyhe liegt direkt an der Bahnlinie Bremen-Osnabrück mit einem Bahnhof in Kirchweyhe und einem Haltepunkt in Dreye. Das Zentrum von Bremen ist mit dem Nahverkehrszug in 12 Minuten zu erreichen.

Die Hache lädt zu allen Jahreszeiten auf ihren Uferwegen zum Radeln ein: Ebenso die Wege durch abwechslungsreiche Landschaften von Marsch und Bruchgebiete bis hin zur Vorgeest. Verweilen lohnt sich im Ellernbruch, bei der Felisianus-Kirche mit ihrem romanischen Turm sowie beim Ensemble der restaurierten Wassermühle an

Schiffe auf der Weser

Alte Weser am Dreyer Hafen

Felicianus-Kirche in Kirchweyhe

der Niedersächsischen Mühlenstraße. Das Weyher Theater und der Marktplatz in der neuen Ortsmitte mit seiner vielfältigen Gastronomie laden ebenfalls zu einem Besuch ein.

Besonders empfehlenswert ist eine Fahrt auf der Weser mit dem Fahrgastschiff von Dreye nach Bremen oder in die umgekehrte Richtung nach Verden/Nienburg/Minden.

Hansestadt Bremen – Fahrradstadt am Fluss

Bremen und Radfahren gehören einfach zusammen, denn es gibt keine bessere Art, um in dieser Stadt voranzukommen. Der „Bremer Stadtweg" lädt die Gäste Bremens ein, es den Hansestädtern gleichzutun. Der 30 Kilometer-Rundkurs führt an vielen Attraktionen der Bremer City vorbei und kann mit der „kleinen Runde" auch auf acht Kilometer gekürzt werden.

Historisch

1200 Jahre Tradition und Weltoffenheit prägen Bremen, die Hansestadt an der Weser.

Unverwechselbare Wahrzeichen bleiben das prächtige Rathaus im Stil der Weser-Renaissance und die ehrwürdige Figur des Roland (UNESCO Welterbe-Ensemble) auf dem historischen Marktplatz, der Schnoor – Bremens ältestes Stadtviertel oder die ungewöhnliche Architektur der traditionsreichen Böttcherstraße. Und natürlich sind da die weltweit bekannten Bremer Stadtmusikanten aus dem Märchen der Brüder Grimm. - In Bremen wird Zukunft gestaltet und Geschichte gelebt. Letztere zeigt sich z.B. in den vielen Bremer Museen und ihren lebendigen Ausstellungen. Die Kunsthalle ist Bremens ältestes Museum und zählt zu den führenden Deutschen Stiftermuseen. Das Focke-Museum präsentiert als Bremer Landesmuseum Ausstellungsstücke von der Frühzeit bis in die Gegenwart.

Maritim

Das Seefahrer-Flair ist in Bremen bis heute lebendig und für Touristen von besonderem Reiz. Mit dem Fluss Weser besonders eng auf Tuchfühlung sind die Bremer und ihre Gäste auf der Uferpromenade Schlachte. Insbesondere bei schönem Wetter pulsiert hier das Leben der Stadt. Von den Terrassen und Gärten einer vielfältigen Gastronomie aus lässt sich der Blick aufs Wasser genießen. Und auf die historischen und modernen Schiffe am Kai. Am Martinianleger an der Schlachte geht es auf große oder kleine Fahrt: Im Sommer schippern die Fahrgastschiffe täglich weserauf- oder weserabwärts. In Vegesack, dem Zentrum des Bremer Nordens, werden die maritimen Traditionen besonders gepflegt. Mit hübschen Kapitänshäusern und dem Hafenquartier, mit maritimen Festen und dem Schulschiff „Deutschland" bietet es eine abwechslungsreiche Erlebniswelt.

Lemwerder

Lemwerder, die südlichste Gemeinde der Wesermarsch, einst mit dem Ortsteil Altenesch ein Mittelpunkt des Stedinger Landes, ist heute ein aufwärtsstrebender Ort, der durch vielfältige Infrastruktur auffällt. Der Ortskern ist kleinstädtisch geprägt. Außerdem sind hier die für die Gegend typischen Fachwerkhäuser mit Reetdach zu finden. Jährlich am dritten Wochenende im August lockt das international bekannte Drachenfest auf dem Ritzenbütteler Sand. Drachen aller Größen ziehen ihre Bahnen über dem Weserstrand.

Mit Glück lässt sich an den Anlegern des traditionsreichen Werftstandorts Lemwerder eine der extravaganten Megajachten oder eines der schnittigen Schnellboote beobachten, deren Wiege hier auf der linken Weserseite steht. Mit einer Schiffsreise an die Wesermündung stimmen Sie sich auf die „Havenwelten" in Bremerhaven ein. Landschaftliche Idylle wie z. B. die Nobiskuhle laden zum Verweilen ein, ebenso wie ein Blick über den Weserdeich auf den regen Schiffsverkehr. Es lohnt ein Halt am markanten St.-Veit-Denkmal, das an die Niederlage der Stedinger im Jahr 1234 erinnert, ebenso wie eine Tour zum „Schwarzen Leuchtturm". In den Kirchen finden Sie Kostbarkeiten, wie z. B. die Wilhelmi-Orgel in St. Gallus oder die fünf mittelalterlichen Fresken in der Dorfkirche Heilig-Kreuz in Bardewisch. Auf Lemwerderaner Boden befindet sich das Gestüt Sosath, dessen Springpferde internationale Platzierungen erhalten. Nur durch die Weser von Bremen getrennt bietet sich Lemwerder als Ausgangspunkt für einen Ausflug in die Hansestadt mit ihrem Unesco-Weltkulturerbe an.

Huntesperrwerk

Dreimastgaffelschoner „Großherzogin Elisabeth" (Bj 1909)

Fachwerkkirche „St. Anna zu Bardenfleth"

Elsfleth

Elsfleth liegt im Weser-Hunte-Dreieck und gehört zu den ältesten Orten an der Unterweser. In der Seefahrerstadt fühlen sich über 9.300 Einwohner zu Hause. In der beschaulichen Größe liegt der Reiz dieser Stadt, dessen Zentrum durch die gemütliche Fußgängerzone und den Dreimastgaffelschoner „Großherzogin Elisabeth", an der Huntekaje geprägt ist.

In autofreier Natur lockt Erholung pur. Das ausgedehnte Radwegenetz lädt zum Radfahren, Wandern, Walken und Inlineskaten ein. Am schönen Sportboothafen vorbei und über das sehenswerte Huntesperrwerk erreicht man mit dem Fahrrad oder zu Fuß die Weserhalbinsel „Elsflether Sand" mit seinen schönen Sandstränden und Naturschutzgebieten. Am schönen Weserstrand kann man baden, wandern oder einfach seine Seele baumeln lassen.

Weser und Hunte sind geprägt vom Wechsel der Gezeiten Ebbe und Flut. Seit 1979 schützt das Huntesperrwerk Elsfleth vor Sturmfluten.

Im Ortsteil Moorriem schmücken reetgedeckte Fachwerkbauernhäuser die Moor- und Marschlandschaft. Im Moorriemer Landcafé, im Melkhus und weiteren Cafés und Restaurants direkt am Weser-Radweg können Sie eine Rast einlegen und sich für die Weiterfahrt stärken. Machen Sie bei uns Station, es lohnt sich auf jeden Fall!

Brake

Die schöne Unterweser- und Seehafenstadt Brake liegt im Radfahrerparadies Wesermarsch. Nördlich vom Stadtkern beginnt die Braker Seehafen-Kaianlage mit den höchsten Siloanlagen Europas. Hier legen die großen Seeschiffe an und laden und löschen ihre Ladung. Die großzügig gestaltete Uferpromenade der Stadtkaje lädt zum Verweilen ein und birgt eine schöne Aussicht auf die Hafenanlagen, den Schiffsverkehr auf der Weser und die gegenüberliegende 11 km lange Weserinsel „Harriersand". Diese ist ein beliebtes Ausflugsziel für die ganze Familie. Lange Strände, ein Wäldchen mit einem großen Spielplatz und Radwege durch die schöne Landschaft machen sie so reizvoll. Harriersand ist die längste Flussinsel Deutschlands. Zu erreichen ist die Insel mit der Personenfähre „Guntsiet", die von der Braker Kaje aus startet. Auch die Innenstadt wird vom maritimen Flair geprägt: Sehenswerte alte Handels -und Packhäuser, die heute als Geschäfts-

Der Telegraph, Brakes Wahrzeichen von 1846, beherbergt einen Teil der Ausstellung des Schiffahrtsmuseums

häuser, Cafés und Restaurants genutzt werden, verleihen der Braker Fußgängerzone ihren ganz besonderen Reiz. Sehr sehenswert ist die Sammlung des Schiffahrtsmuseums der oldenburgischen Unterweser e.V., welches ebenfalls in zwei historischen Gebäuden untergebracht ist. Für sportlich Interessierte bietet Brake Möglichkeiten für fast alle Sportarten an: Das Frei- und Hallenbad, Strandbäder an der Weser, Sportstadien, Tennisplätze, Schießstände, einen Sportboothafen und diverse Kegelbahnen.

Auch in kulinarischer Hinsicht hat Brake einiges zu bieten. Die Speisekarte wechselt im Rhythmus der Jahreszeiten. Produkte der Saison werden angeboten. So gibt es Lammwochen, Ochsenwochen, verschiedene Fischgerichte und nach dem ersten Herbstfrost beginnt die Grünkohlzeit.

Die Personenfähre „Guntsiet" startet von der Braker Kaje aus zur längsten Flussinsel Deutschlands, dem Harriersand

Stadland-Rodenkirchen

Die Lage der Gemeinde Stadland zwischen Weser und der schönsten Nordseebucht, dem Jadebusen, bietet dem Radfahrer auf dem Weser-Radweg die Möglichkeit, das Stadlander Radverkehrssystem und die Deutsche Sielroute kennenzulernen. Das historische Dorf Rodenkirchen mit altem Marktplatz und Bahnhof, denkmalgeschützten Gebäuden sowie der St. Matthäus Kirche mit den Kunstwerken Ludwig Münstermanns, die malerischen Sielhäfen, z.B. Absen und Strohausen, und der Nachbau eines Bronzezeithauses zeugen von geschichtlicher und kulturhistorischer Bedeutung. Lokale und überregionale Veranstaltungen können dem Veranstaltungskalender entnommen werden. Vielfältige Angebote aus der Gastronomie, Beherbergungsbetrieben und dem Gewerbe laden den Radler bei frischer Seeluft und weitem grünen Land ein.

Dielenschiff Hanni

Seefelder Mühle

Nordenham

Nordenham, die Stadt am Wasser, ist das lebendige Mittelzentrum der nördlichen Wesermarsch. Als beliebtes Einkaufsziel lädt eine gemütliche Fußgängerzone mit zahlreichen Geschäften, Cafés und Gaststätten zum Bummeln ein. Die günstige Lage direkt am Wasser bietet aber auch umfangreiche Sport- und Freizeitmöglichkeiten.

Das mustergültig ausgeschilderte Radwegenetz ist die beste Voraussetzung für die unterschiedlichsten Radtouren. Sei es die „Deutsche Sielroute", eine Erkundungstour auf die Halbinsel Butjadingen oder auch eine Radtour auf Deutschlands beliebten Weser-Radweg: Nordenham ist der ideale Ausgangspunkt. Übernachtungsmöglichkeiten stehen sowohl in Hotels als auch in Privatunterkünften zur Verfügung.

An der Weser in Nordenham

Butjadingen

Willkommen im Butjadinger Land, in dem man heute schon sieht, wer Sonntag zum Kaffee kommt – so platt ist es hier.

Der Weser-Radweg führt Sie an vielen interessanten Orten auf der Halbinsel vorbei:

Wir laden Sie auf Erkundungstour auf die Kunstpromenade zwischen Burhave und Fedderwardersiel ein. Machen Sie doch einen Zwischenstopp in der ffn-Nordseelagune, dem einzigartigen Meerwasserbadesee.

In Fedderwardersiel lädt der Kutterhafen zum Verweilen ein. Genießen Sie beim Ausblick auf die Nordsee ein leckeres Fischbrötchen.

Weiter geht's nach Langwarden, wo Sie die historische St. Laurentius Kirche besuchen können. Über Ruhwarden, dem blumenreichsten Ort der Region geht es nach Tossens. Hier können Sie am ffn-Friesenstrand gemütlich im Strandkorb sitzend eine

Weser-Radweg in Butjadingen

Wattenmeer

Rast einlegen. Wer lieber ein bisschen mehr Action haben möchte, kann im Erlebnisbad „Aquafun" die Wasserrutschen unsicher machen. Direkt am Deich entlang geht es weiter nach Eckwarderhörne, auch Kap Hörne genannt. Dieser idyllische Strand gilt als Geheimtipp für Badegäste und Surfer.

Wenn Sie von der vorgegebenen Strecke auch einmal abweichen wollen, bietet Butjadingen auch allerhand Ausflugsziele im Landesinneren. Beim Wein- und Teekontor kann man auf friesische Art leckeren Tee trinken. In jedem der drei Melkus (Milchhäuser) gibt es aus frischer Milch zubereitete Köstlichkeiten und spezielle Milchgetränke.

Seestadt Bremerhaven

Direkt am Eingang zur Nordsee liegt Bremerhaven. Die junge Großstadt ist das Oberzentrum der Region und lädt auf hervorragenden Strecken zu interessanten Abstechern ein. Ob Naturerlebnisse am Deich, in den Parks und am malerischen Geestewanderweg oder atemberaubende Perspektiven in unseren Welthäfen – mit dem Fahrrad ist alles bequem erreichbar. In der Innenstadt und in den Havenwelten Bremerhaven stehen Fahrradständer bereit, so lässt es sich unbeschwert bummeln und flanieren.

Fesselnde Museen, Erlebnis- und Wissenswelten, der Weserdeich und die Schiffe gestalten die Havenwelten Bremerhaven. Im Klimahaus® Bremerhaven 8° Ost wird der Einfluss des Klimas auf der Reise entlang des achten Längengrads sinnlich erfahrbar gemacht. Neben der Aussichtsplattform SAIL City liegt die Einkaufswelt Mediterraneo mit südländischem Ambiente, und direkt am Weserdeich

der maritime Zoo am Meer und nicht zu vergessen das Weser-Strandbad. Am Neuen Hafen steht das Deutsche Auswandererhaus® Bremerhaven, ausgezeichnet als „European Museum of the Year 2007", und hält die Bedeutung der Seestadt als größter deutscher Auswandererhafen noch lebendig.

Imposant und stolz liegen die Schiffe in den Häfen. Im Alten Hafen tummeln sich Museumsschiffe, im Nationalmuseum Deutsches Schiffahrtsmuseum liegt die älteste Kogge der Welt vor Anker. Das 77 Meter lange U-Boot „Wilhelm Bauer" und der größte noch erhaltene hölzerne Frachtsegler der Welt, die

Seestadt Bremerhaven

„Seute Deern", sind Anziehungspunkte nicht nur für Schiffsbegeisterte. Im Neuen Hafen präsentieren sich die Oldtimer der See, hier beginnen die Hafen- und Weserrundfahrten und zur Sail Bremerhaven beherbergt das Hafenbecken Windjammer und Ozeanriesen.

Die Spuren maritimer Geschichte führen quer durch die Seestadt. Maritime Baudenkmäler wie der Wasserstandsanzeiger und der Simon-Loschen-Leuchtturm ragen am Weserdeich empor. Von der legendären Reederei Norddeutscher Lloyd erzählen letzte sichtbare Zeugnisse, wie die Umfassungsmauern des Trockendocks im Neuen Hafen und das ehemalige Lagerhaus, in dem sich heute das Tourismuszentrum Hafeninsel befindet.

Das preisgekrönte Historische Museum Bremerhaven an der Geeste vermittelt auf unterhaltsame Weise solche teils vergangenen Arbeits- und Lebenswelten an der Küste.

Bremerhaven ist groß geworden mit der Schifffahrt und mit Fischfang. Dort, wo einst die bedeutende Bremerhavener Trawlerflotte ein- und ausfuhr, im Fischereihafen, bummeln heute jährlich hunderttausende Besucher zwischen Restaurants, Räuchereien und maritimen Geschäften im Schaufenster Fischereihafen. Wie der Fisch ins Netz geht zeigt der Museums-Trawler „Gera", das Meerwasseraquarium Atlanticum klärt auf, woher der Fisch kommt und im Seefischkochstudio kommt er live in die Pfanne. Die Tourist-Info und die RadStation runden das vielfältige Angebot ab: Hier gibt es Tipps, Tickets und Termine und natürlich den Service rund ums Rad.

Ozeanriesen und hautnahe Einblicke in den Überseehäfen

Hoch im Norden der Seestadt eröffnet sich ein einmaliger Blick in das Treiben auf einem der größten Umschlagshäfen Europas für Container und Autos,

die sich auch mit dem HafenBus erreichen lassen. Hier legen die größten Container-Spezialschiffe an und der Auto-Terminal bietet mit über zwei Millionen Quadratmetern Fläche ein ebenso beeindruckendes Bild wie die berühmte Lloyd Werft Bremerhaven.

Ein vielfältiges Angebot erwartet die Besucher in Bremerhaven.

CUXLAND –
Ferienland zwischen Nordsee, Elbe und Weser

Sonne, Wind und Meer – was wollen Radler mehr? Die Küstenlandschaft zwischen Weser und Elbe ist ideal zum Radfahren. Wo kein Berg den Blick in die Weite verstellt, sind auch keine Steigungen zu überwinden. Eine Radwanderung im Cuxland ist eine Erholungsreise zwi-

schen Meer, Wolken und schier endlosen Deichen. Und dann ist da noch die Nordsee, die zweimal am Tag durch Hoch- und Niedrigwasser für das ewige Wechselspiel der Gezeiten sorgt. Kilometerlange Grünstrände in Wremen, Dorum, Otterndorf und Nordholz-Spieka und über 12 km Sandstrände im Nordseeheilbad Cuxhaven laden nach einer erlebnisreichen Radtour zum Sonnenbaden oder Surfen und zum Muschelsammeln oder Schwimmen ein.

Den Radlerinnen und Radlern sind aber auch die Exkursionen vom Weser-Radweg zu empfehlen: Farbenfrohe Heidelandschaften, stille Moore und saftige Marschenfelder laden ein, sich abseits der Hauptroute besondere Erlebnisse zu gönnen.

Wo die Nordsee ist, da können Häfen und Schiffe nicht weit sein. Das Cuxland ist ein lebendiges Beispiel für die vielen Gesichter der Küstenlandschaft. Containerschiffe mit über 5000 Containern, die im Liniendienst rund um die Welt fahren, wechseln sich ab mit kleinen Siel-

häfen, in denen die Zeit anscheinend stehen geblieben ist. Auf dem Deich genießt man den weiten Blick über den Nationalpark Wattenmeer. Zwei große Informationszentren in Cuxhaven und in Land Wursten vertiefen die Eindrücke über den Nationalpark.

Einen besonderen Service für alle Fragen rund um das Rad bieten die RADHÖFE in Wremen und Cuxhaven.

Urlaub auf dem Bauernhof; Reiten, Tennis, Golf und Fliegen; Angeln und Hochseeangeln; Camping und Caravaning; Sehenswürdigkeiten und Ausstellungen; Kirchen und Orgeln; Jugend und Freizeit sind weitere Themen für eine Freizeitgestaltung im Cuxland.

Kutterhafen Dorum

Kugelbake

Grünstrand

www.SRJ.de
Aktiv Freizeit

Rad-, Wander- und Erlebnisreisen

• Weser • Werra • Fulda • Diemel
• Mühlenroute • Meerweg
• 3 Flüsse und 1 Meer
• Teutoburger Wald

Seit 1988 für Sie vor Ort!

Ihr Servicepartner

• Radlerbusse
• Gepäck-, Räder und Personen
• von 8 bis 50 Personen
• Pauschal- und Individualreisen
• Fahrradverleih
• Floßtouren auf der Weser

SRJ Aktiv Freizeit & Gäste-Service
Minden • Hann. Münden
Gneisenaustr. 10 • 32423 Minden
Tel.: 0571/88 91 90-0 Fax 8891993
www.srj.de • info@srj.de

Bei uns erhältlich
Katalog „Aktiv-Freizeit"
Radwander & Wandern
ohne Gepäck

Die Alternative zur Bahn:
Unsere Radlerbusse bequem und ohne Umsteigen
zum Ausgangspunkt Ihrer Radreise